D1213539

Ça va, cher Karl ?

Sébastien Jondeau
avec Virginie Mouzat

Ça va, cher Karl ?

récit

Flammarion

ISBN : 978-2-0815-0097-6

J'entends les derniers partis descendre l'escalier. Mon immeuble n'a pas d'ascenseur. Fermer la porte sur eux. Fermer la porte sur cette date qui clôt vingt ans de ma vie. J'ai dit au revoir à Karl ce matin. Pour toujours. Son âme et son corps ont disparu. Durant cette journée chaotique, beaucoup de monde. Trop de monde. Et puis les potes, les vrais, qui sont venus dîner ici. Programme de demain ? Presque rien. Pas envie de me coucher. Je range tout, je lave, je nettoie. Je suis comme ça, j'aime que ce soit nickel, propre, impec. Vider les cendriers, rincer les verres. Je ne bois pas, ne fume presque jamais, mais ce soir…

Pas assez de verres pour tout le monde. Fouiller dans le placard du bas, près de la cuisine. Les fenêtres sont grandes ouvertes. Il fait doux pour un soir de février. Je viens de retrouver un carton de photos oubliées. J'ai la nuit pour moi et aucun rendez-vous demain. De toute façon, impossible de dormir. Dans le carton, je tombe sur une image de Muguette et moi tout gosse, des mini-Polaroid aussi : Karl et moi à New York en 2004 ; plus tard, au mariage du prince Albert à Monaco, sapés comme des princes ; lui à la table de notre dîner de Noël qu'on a passé tous les deux pendant des années ; Blue mon chat Savannah, Karl et Amanda dans l'avion et moi dans le cadre du Polaroid qui fait le con ; photos de mes reufs, en vacances avec L. ; Karl dans la Rolls ; Khemis ; Choupette en liberté dans l'avion ; Mamie Jondeau ; Éric et moi à la villa Elhorria en 2001 ; Karl avec Pharrell Williams, Cara Delevingne et moi… C'était avant les smartphones, quand Karl prenait tout en photo avec sa petite caméra Sony ou avec un mini Polaroid, avant de passer à la manie du numérique. Tonnes d'images, d'instantanés, de papier sensible… Plongée dans ma vie. Ma vie d'avant.

La villa Elhorria à Biarritz, novembre 2004

Karl a photographié beaucoup de campagne de pub là-bas. Il a froid dans cette maison. Il peut parfois faire dix degrés, en plein mois d'août. Lui et moi on caille. Je sens que Karl en a marre de Biarritz. Des gens se sont introduits dans la villa. Chanel a décidé de placer des agents de sécurité pour veiller sur Karl car Jean-Michel, son homme à tout faire, qui travaille beaucoup pour lui, ne fait pas la sécu. C'est une grande maison qui nécessite beaucoup de personnel. Karl a son studio photo là-bas. On y part presque tous les week-ends pour le travail. Cette année-là, il décide de ne pas y retourner à Noël pour rester à Paris. Avec lui, c'est mon premier Noël à Paname. On le passe à deux. Un rituel qui va durer vingt ans. J'ai pris un nouvel appartement depuis un an, square de Tocqueville. C'est petit, mais j'y suis heureux. On m'a demandé vingt-deux mois de salaire. Le comptable de Karl s'est porté garant. Trente-deux mètres carrés au dernier étage, vue sur cour. J'emménage avec M., ma copine de l'époque, c'est sa condition pour échapper à ma vie à Gonesse, aux embrouilles, à mes meufs…

La place des Lices, 2005

Cette année-là, on ne fait aucun shooting à Biarritz. Avec Karl, on voyage sans cesse en avion privé. Un jour, en vol vers l'Italie pour aller travailler pour Fendi, Karl commence à me parler de Saint-Tropez. Il avait une maison à la Ponche dans les années 1980. Il me raconte que sa mère en louait une près de la place des Lices. Dans le Falcon 900 qu'on loue à Michel Reybier, on discute beaucoup. On le prend souvent pour aller à droite à gauche en Europe. On sympathise avec l'hôtesse. Karl est très ouvert. L'hôtesse me demande si elle peut me parler d'un projet nommé La Réserve que son patron, Michel Reybier, est en train de monter. Il a déjà ouvert un établissement à Genève, désormais, il veut en monter une autre à Ramatuelle où il a acheté un terrain sur lequel des villas sont déjà à louer.

Ramatuelle, avril 2005

J'étudie le dossier La Réserve de Ramatuelle que Reybier m'a confié pour que je le montre à Karl. Ça a l'air vraiment bien. Je décide de lui en parler. Cette fois, c'est clair, il ne veut plus aller à Biarritz et me demande d'organiser une visite là-bas. À la Karl, à l'instinct, dans la vitesse. Je suis en contact avec le directeur, Nicolas Vincent. La construction est en cours de finalisation.

Mai 2005

En chemin vers Rome, où on descend deux ou trois fois par mois pour Fendi, on décide de faire un stop à Ramatuelle. Je ne suis jamais allé de ma vie sur la Côte d'Azur. Saint-Tropez, j'en ai rêvé mais je n'ai jamais pu. Je préfère ne pas kiffer sur un endroit qui sera toujours trop cher pour moi. Ça a toujours été ma protection. Rêver, mais ne pas convoiter l'inaccessible, car ça peut faire mal si on n'y arrive pas. Moi, me promener sur le port pour regarder les bateaux sur lesquels je ne pourrai jamais monter, c'est pas mon truc. De son côté, Karl est très excité d'y retourner. Il me dit que ça fait longtemps qu'il n'y est pas allé. Il me raconte qu'il y faisait la fête et qu'il roulait en Solex, sans casque, en toute liberté. Je lui avoue que ça va être ma première fois.

Je m'étais malgré tout attaché à Biarritz. Depuis 1998, j'ai commencé à aller beaucoup à Elhorria, en tant que déménageur pour la société de mon beau-père, la CST. Dans la maison basque, je connaissais tout le monde. Mais Saint-Trop, c'est autre chose.

Le jour de notre première visite, le temps est magnifique. Sur la colline de la Quessine se trouve le domaine de La Réserve. La vue domine la mer qui s'étale devant mes yeux. Je suis ébloui. Karl aussi, je crois.

L'ancienne structure est en chantier. Nicolas Vincent nous fait visiter des villas types. La villa numéro 10, six chambres, plaît beaucoup à Karl. Moi, j'ai le sentiment que ça ne correspond pas à tout ce que j'ai vu autour de lui mais si ça lui plaît, c'est l'essentiel. Karl appelle les pins parasols des brocolis. Il dit qu'ici, il y a des forêts de brocolis.

Au retour, Karl me dit que le projet Ramatuelle lui plaît mais comme ça fait longtemps qu'il n'est pas allé à Saint-Trop, il veut que j'y organise une journée. Je n'y connais rien ni personne. Mais je me rappelle que le fils d'une femme que connaît Karl y dirige le Byblos. Je lui téléphone. À son tour, elle appelle son fils de façon spontanée. Tout commence comme ça.

Une journée en blanc, juin 2005

Depuis 2002, Brad est dans la vie de Karl, sa muse, son modèle, son mannequin. À Rome, Karl shoote Brad pour Fendi. Il fera lui aussi partie de cette journée à Saint-Trop que Karl m'a demandé d'organiser. Steven Gan, le fondateur du magazine *V*, sera là également. Et bien sûr, Amanda Harlech, muse de Karl chez Chanel, une élégante Anglaise, mondaine, spirituelle, très chic, une des seules qui venait déjà à Biarritz. Karl l'adore. C'est un plaisir de passer des vacances avec elle. Elle est légère, drôle, agréable à vivre. Elle apporte une certaine couleur dans la vie. Je suis à sa disposition, comme Karl me l'a demandé. Au début, j'ai essayé de parler anglais avec elle mais elle parle très bien français. J'ai appris l'anglais avec des filles. Et puis des filles. Et encore des filles.

Karl me dit qu'il espère que je vais lui organiser une super journée à Saint-Tropez. Grosse pression.

Le *D day*, on atterrit à Cannes. J'ai prévu qu'un bateau vienne nous y chercher. Karl est habillé tout en blanc et a souhaité que nous le soyons tous aussi. Il a beaucoup minci, il est nickel. Le bateau du Byblos vient nous chercher

Steven, Amanda, Brad, Karl et moi. Karl ne sait pas encore ce que j'ai organisé. J'ai loué une suite au Byblos pour qu'il puisse s'y changer. Il refusera d'enlever ses chaussures sur le bateau. Tout le monde est surexcité. On se prend en photo avec des petites caméras Sony.

Karl se déplace avec des tonnes de bagages, même pour une journée. Par miracle, pas de journalistes au port. Pourtant, on nous repère facilement. Jusque-là, tout roule. J'ai tout planifié par téléphone, sans jamais avoir rencontré personne. Je veux lui faire une surprise. Il sait juste que nous allons déjeuner au Club 55. Je réalise alors qu'il faut un petit zodiac du Club 55 pour accéder au ponton. Karl n'est pas vraiment du genre acrobate. Là, je flippe. Au final, tout se passe bien. Dans le restaurant, l'atmosphère a changé dès notre arrivée. On nous mate depuis les différentes tables.

Karl nous raconte les histoires de son Saint-Tropez. Brad écoute ; avec de l'alcool et de la bonne bouffe, il est content.

Après le déjeuner, le capitaine nous emmène faire une excursion en bateau. On passe le phare du cap Camarat, on s'arrête en bas du cap Taillat. Je fais du Jet Ski avec Brad. Karl le photographie. Il est heureux.

Le soir, on repart du petit aérodrome de La Môle.

Dans l'avion, Karl, qui a adoré sa journée, me dit que ce serait bien de revenir. Il veut organiser son été là. Il aimerait faire venir Jean-Claude et Josette de l'appartement du Millefiori à Monaco, les deux dernières semaines d'août, pour être près de lui dans la villa 10 de La Réserve.

Au retour de mes quelques jours de repos perso en Espagne chez mon « oncle » Khemis, je sais que je vais passer les vacances de Karl avec lui, sur la Côte d'Azur, à Ramatuelle. Tant de choses vont se jouer dans ce lieu que je vais finir par le connaître par cœur.

Gonesse, 1990

Nouvelle maison. On emménage, mon beau-père, ma mère et moi. J'ai arrêté l'école en troisième. Trop indiscipliné. Plus un lycée ne veut de moi. Christian, mon beau-père, est très clair : soit je travaille, soit je dégage. Ma mère est un peu plus indulgente, mais elle pense la même chose au fond. Il faut que je bosse. J'ai 15 ans. Ça fait trois ans que j'ai un job pendant toutes les vacances scolaires. C'est comme ça que j'ai rencontré Karl, en travaillant pour la boîte de transport et déménagement montée par mon beau-père. J'ai aussi pu acheter ma première Mobylette avec mon argent de poche. Tous les potes de mon quartier n'ont pas cette chance. On part en vacances à Saint-Cyprien-Plage, à côté de Perpignan, dans l'appart acheté par ma mère et mon beau-père.

À la fin de ma troisième, j'obtiens mon brevet des collèges. Ensuite, je n'ai plus envie d'aller en cours. Ma mère essaye de me trouver un lycée public. Personne ne veut m'accueillir. Je laisse tomber et propose de travailler à plein-temps pour mon beau-père. Transport de courses urgentes, d'œuvres d'art et de matériel radiologique, c'est l'essentiel de l'activité de sa société, la CST, pour laquelle ma mère est en charge du dispatching. Depuis que j'ai 5 ans, je baigne dans ce business. Mes premiers boulots d'été, c'est manutentionnaire. Je passe beaucoup de temps sur la route, dans un camion, en compagnie d'un chauffeur : j'aime cette vie itinérante. On dort peu, on roule pendant des heures. On est libre.

L'année de mes 16 ans, mes potes sont encore à l'école. Quelques années plus tôt, j'ai redoublé la sixième au pensionnat parce que la prof ne me supportait pas et qu'elle me parlait mal, qu'elle était nulle en sport. Du coup, je lui montrais qu'on était déjà les meilleurs avec mes potes de l'époque. Après qu'elle eut fait en sorte que je redouble, j'ai explosé les pneus de sa 205 CTI. Exclu. Ma mère me met des trempes. Mon beau-père aussi. Il me dit que je suis bon à rien. La mère de mon beau-père, Émilienne, est voyante. Elle déteste les enfants. Elle fait des sculptures avec tout ce qu'elle trouve. Elle est magique. Elle habite un pavillon à Romainville. Mes grands demi-frères (fils de mon beau-père) et moi on est totalement bluffés par sa maison. Un jour, Émilienne a dit à ma mère : « Ton fils, je le vois avec un costume de capitaine et il voyagera beaucoup. » Ce à quoi mon oncle Jean-Claude, le frère de ma mère, a répondu : « Un costume rayé de prisonnier, tu veux dire ? » C'est l'idée qu'on se fait de moi.

Je navigue entre deux trois cités, je suis perçu comme le fils d'un P.-D.G. d'entreprise. On a beau habiter dans les mêmes banlieues, je suis considéré par certains comme le bourgeois du quartier même si on attrape les mêmes gonzesses, qu'on fait les mêmes conneries et qu'on choure les mêmes trucs dans les boutiques.

La seule différence, c'est que mon beau-père a acheté une petite maison du côté de Meaux, une sorte de maison de campagne. Je déteste y aller. Je préfère rester avec mes potes dans les cités à faire du vélo. Multiplier les conneries, c'est aussi leur ressembler. Contrairement à ce que l'on pourrait penser, tous ne sont pas des cancres. C'est mon premier cercle : les frères Saïd et Saber, Peth, Fred et Ewan, Willy et Diego, Sedina et Moïse, et puis Éric, Sébastien, Tony… Pendant ce temps-là, ma mère manage une centaine de chauffeurs de camion et mon beau-père travaille tous les dimanches.

Rue de l'Université, vers juillet 1990

Je suis manutentionnaire dans une équipe de la CST. Avec Éric, le chef, et José, je suis le troisième de la bande. On installe et transporte du matériel radiologique. Et aussi des œuvres d'art. Un jour, un certain Patrick Hourcade appelle la CST pour travailler dans une des propriétés de Karl Lagerfeld. C'est ma mère, Muguette, qui dispatche les jobs à ses chauffeurs.

Elle est très respectée. Dans la maison de ce M. Lagerfeld, on veut faire appel à une nouvelle société de transport. Le boulot tombe sur nous. Là, on nous demande de déplacer des meubles d'un salon à un autre dans une maison du 7e arrondissement de Paris. On arrive au 51, rue de l'Université. Je n'ai aucune idée ni de chez qui on va, ni d'où on est. Je suis dans la cour d'un hôtel particulier, dans ma cotte – ma salopette de travail et mon blouson siglé CST –, il est 14 heures, et je découvre les lieux. Pour moi, l'endroit est un château. J'ai conscience que c'est exceptionnel. On attend dans la cour pavée qu'on nous fasse entrer. À l'intérieur, que du mobilier du XVIIIe siècle. On patiente encore. Clément, l'homme de maison, nous informe que Monsieur n'est pas là. On attend encore trois heures. Je tourne en rond. J'ai envie de me casser. Je suis une pile électrique.

Monsieur arrive. Je me souviens de son catogan. Lagerfeld porte des grosses lunettes fumées, c'est plutôt un type sympathique. Il nous présente ses excuses pour l'attente, nous dit bonjour à tous en nous serrant la main. À moi, il dit : « Vous êtes bien jeune pour travailler comme ça. » Je lui explique que ce sont les vacances scolaires et que je suis obligé de travailler. Je suis le seul à qui il parle un peu. J'ai l'air d'un gosse. On déplace des meubles, Karl dirige les opérations. En une demi-heure, c'est réglé. À la fin, il nous file un pascal (500 francs) à chacun. Je n'en reviens pas. Aucune arrogance de sa part. Il est cordial et simple, mais quelle générosité ! Quand je démonte une table de radio de 20 tonnes, on se partage 200 francs chacun… 10 francs le kilo de cuivre, 1 franc le kilo d'acier, 4 francs le kilo de plomb…

On a compris que ce client-là n'est vraiment pas comme les autres.

La CST, 1991

Un an plus tard, j'ai arrêté l'école. En septembre, je suis devenu salarié chez CST Transport, au SMIC, à temps plein. Je fais tellement d'heures supplémentaires que je double mon salaire. Cet été-là, on ne part pas en vacances à Saint-Cyprien car ma mère, Muguette, tombe malade. Cancer. Je fais une crise de nerfs car je suis un petit con et que je stresse. Mon « oncle d'Amérique », Jackie, un gars originaire des cités du 13e arrondissement de Paris qui faisait des combats de boxe clandestins, un fou complet devenu forain, qui a des restaurants, me prend à ses côtés pour bosser avec lui à la fête foraine d'Argelès-Plage. Je loge dans une chambre de son appartement d'Argelès-Village. Jackie me connaît un peu. Il me confie un vélo. Je traîne toute la nuit sur ma bécane avec mes potes à Saint-Cyprien à 10 kilomètres de là. Je découche chez des filles ou des potes. On vole des vélos. J'arrive à la bourre à la fête foraine. Je sors. Je fume des joints. Je squatte chez une meuf plus âgée. Son mec le découvre, me met une raclée, me tape mes affaires. Parfois, je disparais et je ne me montre pas à la fête foraine. Je dors sur un banc la nuit, dehors, en bas de l'appartement de Saint-Cyprien. Trop fatigué. Trop défoncé parfois. Deux mois passent. Jackie est énervé. Tous mes potes sont Blacks ou Arabes. Pour moi, l'amitié n'a pas de couleur. Je revendique ma proximité avec eux. La région du Sud est pleine de fachos. Je dors chez mon pote vietnamien, Yann. À la fête de Saint-Cyprien, on tombe sur huit skinheads. Ils ont 20 ans à peu près. Je me fais insulter. Je leur réponds. J'en rajoute car je me sens aussi Maghrébin qu'Africain. Les insulter c'est m'insulter. Résultat, je me fais déboîter, sérieusement savaté. Yann aussi.

Avant l'été, je vais voir ma mère à l'hôpital de la rue de la Convention. Elle a attrapé un staphylocoque au visage. Mon beau-père ne veut pas que je la voie. Il a bossé dès l'âge de 12 ans dans la récupération d'huile. Il n'a pas eu le choix. Depuis 1981, il développe sa passion de l'aéronautique et a acheté un petit terrain pour y faire une piste d'aviation. Mon pote Saïd a eu son brevet des collèges. Son père lui a offert un scooter. J'ai la haine contre mes parents qui m'obligent à travailler à la dure. Je vais voir mes trois demi-frères : Éric, Christophe, Thierry à la cité Marcel-Cachin à Romainville. Le plus jeune des fils que mon beau-père a eu avec sa première femme, Thérèse, a 23 ans. Son ex-femme m'a gardé les fois où c'était nécessaire. Tous travaillent pour leur père. La CST est devenue un prestataire régulier chez Karl Lagerfeld chez qui je ne suis pas retourné. C'est mon oncle Jean-Claude qui y va régulièrement.

Septembre, fin de la fête foraine à Argelès, Jackie doit me remonter à Paris. J'ai une heure de retard. Jackie ne m'a pas attendu. J'ai 16 ans. Un peu d'argent en poche mais aucun lieu où aller. J'atterris en stop chez Yann à Saint-Cyprien. Trois jours après, on part à cinq dans la voiture des parents vers Paris.

Weston et Célio

Chez moi, mon beau-père me répète soit de travailler soit de me casser. Dès septembre, je bosse donc à plein-temps pour la CST. En octobre, je reçois ma première paie officielle. J'achète une paire de Weston. À la deuxième paie, je prends un crédit et j'achète une motocross.

Avec Yann et mon grand frère Lionel, on va dans la boîte Le Central sur les Champs pour fêter ça. J'ai mes Weston aux pieds et un blouson d'aviateur Avirex « emprunté » à mon beau-père. Chez Célio, j'ai acheté un pantalon et une chemise pour aller avec. À 5 heures du mat, Yann et moi on sort de la boîte, obligés d'attendre le premier RER. À l'arrêt Gare-du-Nord, une bande monte. Ils sont une quinzaine. Yann et moi, on sait que ça va déraper, partir en embrouille. C'est de bonne guerre, se faire dépouiller, je l'ai fait aussi. En banlieue, c'est un des trucs qu'on fait.

La rame arrive à Pierrefitte-Stains. Yann me dit de descendre pour aller dormir chez lui. Je lui dis que je continue vers chez moi. Il me laisse sa bombe lacrymo, au cas où, et s'en va. À la station suivante, Garges-Sarcelles, personne ne sort. Il est 6 heures du mat. Ensuite, c'est la mienne : Villiers-le-Bel. La bande de la rame est d'un autre quartier de Gonesse. Je descends du train. Dévale à toute vitesse les marches. Passe sous la voie en courant. Sors de la gare. Prends à droite le bus. Les premiers commerces ouvrent. Bouchers, boulangers. La bande est juste derrière moi. Le premier qui me rattrape a une bombe lacrymo dans la main. Je sors la mienne puis je m'arrête. Dès qu'il arrive, je lui vide la bombe dans les yeux. En deux secondes, tous les autres sont sur moi. Je reçois des coups dans tous les sens. J'aperçois un petit renfoncement dans le mur, j'y vais à reculons. Quand ils nous voient, le boucher rabaisse sa grille et le chauffeur du bus bloque ses portes en mode fermeture. Personne ne m'aide. Je me fais savater, seul contre tous. Je me protège comme je peux. Je sens qu'on me prend mes chaussures. Enfin, les mecs se barrent en courant. Je me relève. Je crois que c'est fini. Mais quatre reviennent pour me prendre mon blouson.

Je suis en chaussettes, le nez en sang, plus de blouson ni de chaussures. Je suis seul. Le chauffeur du bus rouvre enfin sa porte. Je n'ai plus rien, plus de carte orange, plus d'argent. À 7 h 30, je passe le seuil de la maison. Je tombe sur ma mère et mon beau-père. Je m'attends à ce qu'il m'emmène au commissariat mais mon beau-père prend un coup de sang, attrape son fusil de chasse, monte dans sa voiture, me demande de venir avec lui. J'ai peur qu'il fasse une connerie. On s'arrête devant chez le boucher. Personne. On rentre bredouille. Ce jour-là, j'ai perdu mes pompes, mon blouson, mais j'ai aussi perdu la peur. Elle m'a abandonné. Dans n'importe quelles circonstances, elle n'est plus jamais revenue.

Monsieur Chanel

Dans le cadre de mon boulot pour la CST, je retourne au 51, rue de l'Université, sous la supervision du frère de ma mère, Jean-Claude. Depuis ma première fois, j'ai su qui était Karl Lagerfeld mais je n'y fais pas attention. Il est Monsieur Chanel et il habite un château dans Paris. Le pourboire est bon, c'est ce qui compte.

A., 1992

Moitié Yougoslave moitié Française, elle a 16 ans. 1,65 mètre, blonde, yeux marron. Des trois sœurs, c'est la plus jolie. Elles habitent Le Thillay. Beaucoup de gens du voyage vivent là-bas. Ses grands-parents ont un centre équestre. En 1992, j'ai 17 ans, je fais tout à vélo. Avec mes potes, on est collés à celui qui a le permis, Christophe. Un jour on décide de faire du cheval. Pourquoi ? Aucun souvenir. C'est l'idée d'Angèle. A. part en balade avec nous. Elle est super jolie. J'attrape beaucoup de meufs mais rien du côté du cœur. Pour elle, je me mets à faire du cheval, les potes me chambrent. Ces gens-là font des « boums ». Moi, je ne sais pas ce que c'est que ce truc. Pour mes frérots et moi, A. et ses potes du Thillay, c'est un peu la bourgeoisie. Ils fêtent leur anniversaire, nous, les anniversaires, on ne sait pas ce que c'est non plus. Mon ami Willy sort avec la cousine de A. Ça nous entraîne dans un nouveau cercle de gens. Par A., je commence à fréquenter des Yougos. Je me sens bien avec eux. Ma mère n'a pas vraiment envie que je me fixe avec quelqu'un. Elle me pousse à profiter de la vie. Elle veut que je sois heureux. Depuis l'âge de ma première fréquentation, elle me répète de ne pas oublier les capotes. Mon beau-père s'en fout. A. est au lycée. Elle est mon premier amour avec qui je pars en vacances, avec qui je partage ma vie. Avec mes frérots, on constitue une sorte de communauté. A., ça lui va. Peth, le Laotien, sort avec sa sœur, N. Willy, Peth et moi, on fréquente donc les trois sœurs et cousines. Notre amour va durer neuf ans. J'ai commencé comme un gamin.

Avec elle, ça a été beaucoup de débuts. Également le début de ma vie avec Karl.

Elle m'a attendu pendant que je faisais mon service militaire en section de sécurité dans l'armée de terre à Biscarosse entre avril 1994 et février 1995. Avec elle, c'est aussi le début d'une certaine maturité.

La première lettre, octobre 1998

Je travaille à mon compte en tant que transporteur pour mon beau-père. Je suis autonome, je me déplace sans cesse dans mon véhicule. Trois ou quatre ans plus tôt, j'ai acheté sur plan un appartement à Gonesse. Ça fait plusieurs mois qu'on travaille sur le chantier de la villa Elhorria de Biarritz qui dure longtemps. Depuis que je suis sorti de l'armée, quand je ne fais pas la route, je travaille en renfort en tant que manutentionnaire sur différents chantiers dont ceux de Karl Lagerfeld. Je multiplie les jobs. Je vends aussi des sandwichs au Stade de France. Je livre à Marbella. Sur la route, en permanence. Je dors parfois trois heures par nuit, dans ma voiture le plus souvent. Un jour, en 1998, à la fin du chantier de la maison de Karl à Biarritz, je me balade avec lui dans le parc de sa villa Elhorria. Je l'appelle Monsieur et je le vouvoie. Là, je me lance et je lui dis que j'adorerais travailler pour lui. J'avais déjà évoqué ce projet avec mon oncle qui n'avait pas osé faire passer ma demande, me dissuadant même de le solliciter. Je me souviens que, dans le parc, ce jour-là, Lagerfeld me répond qu'il ne comprend pas parce que j'ai déjà un job dans l'entreprise de mon beau-père. J'insiste en lui expliquant que j'ai envie de découvrir son monde. Quand je travaille dans les propriétés de Karl Lagerfeld, je pose des questions et j'apprends à son contact. Ses objets, son mobilier, ses références… tout m'intéresse. Je sens qu'il y a une promesse d'ouverture extraordinaire à ses côtés. Je le respecte et je n'ai pas peur, c'est ce qui me permet de lui demander ça. Lagerfeld me répond qu'il va y réfléchir. Je me souviens encore de ce qu'il m'a dit, une leçon de vie, dont je réalise avec le recul combien elle deviendra abusive pour certains autour de lui : « Tu as raison, il faut demander dans la vie, sinon on n'obtient rien. »

Je continue à faire des petits jobs chez lui rue de l'Université. Je charge ses bagages.

Je fais du motocross, que j'ai appris et pratiqué seul depuis l'enfance avant de faire des courses avec ma première moto à 16 ans. Et puis une chute. Le ligament du genou gauche y passe.

À Paris, je dis à mon oncle que j'ai demandé à M. Lagerfeld de travailler pour lui. Mon oncle me dit qu'il aurait préféré que je reste à ma place. Il faut savoir que tous les gars de la CST voulaient aller travailler chez lui. C'était beaucoup de boulot mais c'était très bien payé. Ça se savait. Sa générosité était convoitée.

Le 20 décembre 1998, M. Lagerfeld va passer son premier Noël dans sa villa de Biarritz. On doit charger les bagages jusqu'au Bourget d'où il s'envole pour la côte basque. Son chauffeur demande que ce soit moi qui m'en charge. Je me gare dans la cour du 51, rue de l'Université. Je ne sais pas encore que c'est moi qu'on a demandé spécifiquement. C'est un rendez-vous.

On attend dans le hall. Carrelage noir et blanc XVIIIe siècle. Escalier en pierre de Bourgogne. Bruits de pas. Karl est là. On se lève. Clément et Esther attendent qu'il s'en aille. Il me voit et lance : « Ah, Sébastien, comment allez-vous ? Ce dont on a parlé, ça va se passer, peut-être plus vite que prévu. Joyeux Noël. » Il me remet alors une lettre.

Au volant de la fourgonnette, chargée de tous les bagages de Monsieur, je suis la voiture qui le conduit au Bourget. Ce jour-là, je ne sais pas que je viens de recevoir la première d'une longue série de lettres, de notes et de mots qu'il m'adressera par la suite.

La première chose que je fais en conduisant, c'est d'ouvrir l'enveloppe, dès la rue de Solférino, à peine quitté la rue de l'Université. Cette lettre est restée gravée dans ma mémoire. Je ne sais plus comment je fais, mais j'appelle ma mère : « Il m'arrive un truc de fou ! » Ma mère est contente. Elle ne connaît M. Lagerfeld que pour l'avoir eu au téléphone lorsqu'il appelle directement la CST. Elle a compris, comme moi, que ma vie allait changer. J'ai 23 ans. Karl vient de m'offrir le job qui va bouleverser mon existence. Sa lettre me demande de prendre contact avec son homme d'affaires. Tout va s'accélérer, je le sens.

Un employé, 1999

Le 3 janvier 1999, je rencontre l'homme d'affaires de Karl, Lucien Friedlander, suivant les indications écrites dans sa lettre. Ce jour-là, mon pote Éric a lui aussi rendez-vous avec quelqu'un qui va changer sa vie, Hubert Boukobza. On a décidé de passer cette journée ensemble. En ce temps-là, j'avais deux vestes en tout et pour tout. Je me suis sapé mais je sais que j'ai l'air d'un vendeur de chez Darty. Friedlander me désarçonne en me demandant combien je veux gagner. À l'époque, je travaille tellement que lorsque je vends une voiture qui n'a que trois ans, elle affiche 380 000 kilomètres.

« Combien vous voulez ? » me répète Friedlander. À toute vitesse, je fais mes calculs. Je demande 15 000 francs par mois. Friedlander dit très bien. Je parle en net. Il parle en brut.

Je ne le sais pas encore, mais je vais me faire avoir.

De son côté aussi, Éric accepte le job qu'on lui propose. Il devient le chauffeur d'Hubert Boukobza, le pape de la nuit, l'âme des Bains Douches.

En février, je suis le premier employé de la société 7L, toute juste créée par Karl qui installe sa librairie rue de Lille.

A. ne réalise pas que ce sera un virage. Elle est super impressionnée. Mes potes ne se rendent pas bien compte. Ils connaissent la générosité de Karl mais n'ont pas vraiment conscience de qui il est. J'ai déjà six ans de vie active en tant que salarié derrière moi, la plupart sont toujours en train de faire des études.

Dans les premiers temps, je vais continuer à multiplier les boulots, vendant les sandwichs pendant plusieurs années devant le Stade de France les soirs de matchs. Lorsque j'y vois des gens photographiés par Karl au Studio 7L, je me cache.

L'attente

Le premier jour dans ma nouvelle fonction, j'arrive rue de l'Université mais tout le monde tombe des nues. Personne n'est au courant que j'ai un job pour Karl. Moi-même, je suis incapable de mettre une étiquette sur ce que je dois faire. La famille Pozzo di Borgo qui possède l'hôtel particulier vit des loyers de leur location. Philippe Pozzo di Borgo, tétraplégique à la suite d'un accident de parapente, habite dans une autre partie de l'hôtel particulier. C'est Abdel Sellou qui s'occupe de lui. Ils seront les modèles du film *Intouchables*. Je les croise souvent.

Jean-Michel, le chauffeur de Karl, me fait une place dans son bureau, en bas. Et j'attends, j'attends, j'attends... Je réalise que l'année 1999 sera une année de test.

À la fin de la journée, Karl, apparaît. Et lorsqu'il ne me donne rien à faire, il me renvoie chez moi gentiment. En attendant, Jean-Michel m'initie au premier ordinateur Macintosh.

Très vite, Karl achète un petit Toyota RAV4, un des premiers 4 x 4 urbains.

Pendant plusieurs mois, je porte des lettres qu'il envoie à droite à gauche. Et 75 % du temps, je laisse les lettres à des intermédiaires. Je ne rencontre pas grand monde. Ce qui me sauve, c'est le Studio 7L. C'est d'abord une galerie et un studio photo. Puis des livres s'y accumulent. Là, je m'occupe de l'intendance du studio. Ménage et PQ, franchement ça me casse les c… Je ne m'attendais pas du tout à ça.

Assez rapidement, Karl commence à faire des photos là. La CST déménage tout le matériel photo de la rue de l'Université au 7, rue de Lille. Je comprends mieux le quartier. Je deviens plus sédentaire. Je me mets à fond dans le sport : boxe, ju-jitsu, motocross. À Paris, je découvre le Quartier latin et les antiquaires. Quand on fait des déménagements, je note déjà les signatures des objets. Bertrand du Vigneau, de la maison de ventes aux enchères Christie's, m'apprend des choses. Je pose des questions. Si Karl n'a rien de particulier à faire, je suis de retour à Gonesse vers 18 h 30.

Je gère le Studio 7L dont le bâtiment appartient à Claude Berri. Lui-même utilise de temps en temps le studio pour des expositions.

J'ai parfois le sentiment d'être un peu le larbin, ce qui ne me plaît pas trop et même, disons-le franchement, me met hors de moi. Karl n'est jamais méprisant socialement. Il pourrait me demander sur le même ton d'aller chez Dior ou de lui apporter un verre d'eau.

Un jour, il shoote plusieurs stars françaises. Quelqu'un sonne mais personne n'entend. Quand je m'aperçois qu'on tambourine à l'entrée, je cours vers la porte en verre dépoli dont seul un carré est en verre clair. Je regarde comme un fou, mais je ne vois personne. Soudain, un gros tarin et des bam bam bam sur la porte. C'est Depardieu qui surgit. Bienvenue dans la galaxie Lagerfeld.

Je rentre des shootings de plus en plus tard. Mes potes au quartier ne sont pas chécous. Je leur raconte mes journées.

A. garde souvent les enfants des voisins, un couple hispano-tunisien, Khemis et Natividad. Ces derniers vont devenir comme ma famille. On forme une petite communauté. Je partage énormément de choses avec Khemis, il est mon pote mais aussi un frère et un père. Ma mère l'a bien compris. Tout le monde profite de mes histoires mais au fond, mes potes s'en foutent, ils ne sont pas impressionnés. A. est venue à deux fêtes au 7L. Étonnamment, je suis restée neuf ans avec elle, mais elle n'est pas celle que Karl rencontrera le plus. Il me dit qu'elle est très jolie. A. sent que ce n'est pas encore le moment de me demander d'assister à un défilé ou à un shooting de mode. Elle sait rester discrète.

Muguette, ma mère

Un jour, elle m'emmènera sous le bras. Notre famille vole en éclats. Je dois avoir 4 ans, par là. À l'époque, on habite un petit appart, entre porte de Bagnolet et porte de Pantin, au sixième étage sans ascenseur, au-dessus du périph. Ma mère me lavait dans le lavabo de la cuisine. J'avais quand même une petite chambre à moi.

Dans mon lit, je cauchemardais. Mon père, Bernard, disait qu'il allait chercher du pain le vendredi soir et partait en bringue avec ses potes sans se montrer avant le dimanche soir. La boulangerie était en bas de chez nous, tenue par des Marocains. Il cramait sa paie en alcool. À l'époque il travaillait aux Bétons de Paris.

Ce week-end-là, une fois de plus, il a disparu pendant quarante-huit heures.

Je regarde *Tarzan* avec Johnny Weismuller à la télé, en mangeant des cerises. Mon père rentre, très alcoolisé. Je suis dans le canapé avec ma mère. Ma mère, c'était une « meuf-mec ». Le quartier d'où elle vient, à Ivry, avait la réputation d'être un vrai coupe-gorge. Ce soir-là, chez nous, c'est la goutte d'eau qui fait déborder le vase. Dès qu'il rentre, mon père éteint la télé. Ma mère la rallume. Il l'éteint. Elle la rallume. Mon père finit par fracasser le poste. Et là, c'est parti en embrouille entre eux. Je crois qu'il gifle ma mère. Je crois aussi que c'est la première fois. Ma mère me dit : « Ne bouge pas. » Elle fait un petit sac, m'habille et me dit : « On se barre. » Elle n'a ni voiture ni permis. On part à pied. Mon père prend sa carabine et menace de tirer si on part. Elle lui répond : « Tire si tu veux, mais je me barre. » Je me revois descendre les six étages avec elle. C'est mon oncle Jean-Claude qui viendra nous récupérer. Je pense que mon grand-père maternel n'en a jamais rien su, sinon il aurait découpé mon père.

Plus tard, elle m'a dit : « Tu peux faire tout ce que tu veux, tu seras toujours mon fils, mais tu ne frappes jamais une femme. »

Une autre fois, mon père, qui, bourré, s'était cassé les deux talons, avait bricolé une planche à roulettes sur laquelle il se déplaçait dans l'appartement, comme les culs-de-jatte. Il attrapait vivantes les araignées et les mouches et les mangeait.

L'alcool, je l'ai banni de ma vie. Mais j'ai gardé le côté bringuard de ma mère.

À l'époque, elle travaillait dans une boîte de transport, Sagatrans. De ce que je sais, mon père était quand même un mec sympa. C'était un manuel et un intellectuel. Il lisait beaucoup et jouait de pas mal d'instruments de musique. Il conduisait un camion des Bétons de Paris. Apparemment, il était très drôle, même s'il buvait quand il sortait avec ses amis. Il lui est arrivé d'appeler bourré au téléphone, quand ma mère était déjà avec mon beau-père.

Il aimait bien les voitures et bricoler. Pour rencontrer les parents de ma mère en Normandie, à Grandcamp, mon père y était allé en 2CV. Comme il n'y avait pas de sièges, il conduisait assis sur un seau et ma mère, à côté, sur une caisse à outils. Dans une vieille Jaguar qu'il avait récupérée, il avait coulé du béton en guise de plancher.

J'allais parfois en vacances chez ma grand-mère paternelle, dans un appartement du 12e arrondissement. Ce côté de la famille était socialement un peu supérieur. Ils avaient une maison de campagne aux Bordes, dans le 78. Mon grand-père aurait fait quelques actions de résistance en dynamitant des trains. Il était ingénieur. Ils venaient du Morvan, mais lointainement il doit y avoir des origines du Sud car mon père était très typé.

Après la scène de la télé fracassée par mon père, on a atterri, ma mère et moi, chez ses parents, à Ivry, rue Vérollot. Ma mère était courageuse, moderne, émancipée. Elle travaillait. Elle était très belle. Ce n'est pas parce que c'est ma mère mais elle avait un air de Jennifer Lopez, plus fine. Elle avait le teint mat, les cheveux longs et raides, châtains ; pas maigre, ils sont un peu arrondis dans la famille de ma mère.

Je voyais mon père de temps en temps chez mes grands-parents, avec Lionel, mon demi-frère, un fils qu'il avait eu avant d'être avec ma mère.

Bernard

En 2000, j'apprends la mort de mon père. Cancer du poumon. Nous étions à Biarritz avec Karl lorsque j'ai appris son décès. C'est lui qui m'a encouragé à aller à l'enterrement. Je lui ai dit que ce n'était pas grave, que je l'avais à peine connu.

Mon père n'allait jamais chez le médecin. Il fumait et buvait beaucoup. Je suis allé le voir avec Lionel, je devais avoir 15 ans. Il était sympathique, mais ça n'avait pas d'effet sur moi. Mon père ne savait rien de moi. Il ne savait même pas si j'allais à l'école ou pas. Une fois il m'a offert un transistor, je dis transistor exprès parce qu'on était déjà à l'époque des radios. La moitié de l'appartement du sixième étage appartenait à ma mère. Mais elle s'en foutait, elle n'a jamais reçu de pension ou rien après leur séparation.

Karl m'a confié qu'il n'est pas allé à l'enterrement de son père.

La 504 couleur champagne

Un jour, ma mère me récupère à l'école à la porte de Bagnolet, elle est dans une voiture, une 504 couleur champagne, intérieur cuir. Elle est conduite par un homme qui a la tête de Jacques Mesrine. C'est la première fois que je rencontre celui qui va être mon beau-père.

Il y a un téléphone dans la voiture mais c'est une radio pour le dispatching des camions de sa société de transport, comme les anciens taxis qui fonctionnaient à partir d'une centrale. Ça a été la chance de ma mère de rencontrer cet homme qui ne buvait ni ne fumait. Pour le reste, j'ai des blancs.

Ma mère a vraiment relevé la boîte de mon beau-père. Elle travaillait tout le temps.

Le premier endroit où notre nouvelle famille s'installe, c'est l'avenue Jean-Jaurès à Paris. On habite au treizième et quatorzième étage, une sorte de duplex, dans une tour. Je trouve l'appartement vraiment bien, j'ai l'impression que ça fait riche. J'ai ma propre chambre. Je vais désormais à l'école aux Buttes-Chaumont. D'ailleurs, pour moi, la cour d'école, c'est le parc des Buttes-Chaumont. Il y a un manège pas loin. J'ai le sentiment que tout devient plus facile dans cette nouvelle vie. Plus tard, quand on est partis à Aubervilliers, j'ai senti qu'on était en galère.

Quand Karl est tombé malade en 2015, le souvenir de la maladie de ma mère m'est revenu en pleine figure. Comme si l'univers m'envoyait un coup de bâton. Le message c'était : « Tes parents sont morts du cancer et tu ne t'es pas occupé d'eux. Cette fois tu t'occuperas de Karl comme s'il était ta famille. » Je suis très généreux de nature malgré ça. À l'époque de la maladie de ma mère, la nécessité de la survie, se battre pour y arriver et une forme de protection, m'ont poussé à être très égoïste. Mais je ne veux pas qu'on s'apitoie sur mon sort. Je connais des mecs qui ont vu leurs parents mourir sous leurs yeux.

L'avertissement

Je suis la seule personne qui connaît tous les détails de la maladie de Karl avec le professeur Claude Abbou, le docteur Khayat, le docteur Alain Toledano et le professeur Védrine.

Le premier signe de la maladie arrive en juin 2015, juste après le Festival de Cannes. Nous sommes à La Réserve à Ramatuelle. On y va depuis dix ans. À partir de 2007, on y reste même systématiquement un mois après la fin du Festival de Cannes. J'avais remarqué que Karl avait un peu gonflé, mais sous ses vêtements, on ne voyait pas grand-chose. Il était très pudique, il ne se mettait jamais en maillot de bain par exemple. À un moment, je suis sur la plage vers Pampelonne, avec mon ami Arnaud. Karl m'appelle : « J'ai un problème, je ne sais pas comment faire, j'ai du mal à pisser, je m'excuse de t'en parler, je suis désolé. » Je sens immédiatement qu'il y a quelque chose qui cloche avec sa santé. À cette époque, un certain Yves Dahan, dialysé depuis trente ans, qui connaît tous les médecins du monde, est devenu un ami. Mon premier réflexe est de lui passer un coup de fil. C'est la bonne chose à faire mais en même temps, ça peut être la pire, car il a tendance à s'immiscer dans l'intimité des gens. Mais peu importe, je suis décidé à me démener. Je rappelle Karl pour lui demander des détails. Il n'a pas de médecin attitré. Je lui conseille de faire confiance à Dahan.

Une heure après, je suis en ligne avec le docteur Méjean, spécialiste de la prostate qui me dit ce qu'il faut faire, puis j'enchaîne avec le professeur Abbou. Je suis désemparé, je sens qu'il y a urgence. Je demande aux deux médecins s'il faut que je trouve un avion pour Paris. Abbou préconise qu'on rentre et que Karl soit pris en charge directement. Il est 18 heures, un vendredi. Pendant ce temps-là, Karl vit en ermite dans une partie de la maison avec sa chatte sacrée de Birmanie, Choupette.

Grâce à Yves Dahan, on trouve une infirmière immédiatement. Les médecins prescrivent des prélèvements de sang mais elle n'a pas tout le matériel nécessaire. Via une amie qui possède la pharmacie du port de Saint-Trop, je contacte une infirmière à Cavalaire qui, elle, a le matériel. Pendant que l'infirmière A se déplace de Cogolin vers Ramatuelle, je fonce en scooter chercher le matériel à Cavalaire auprès de l'infirmière B. On parvient à faire les prélèvements à la villa 10. Je trouve une combine avec le labo des urgences du pôle médical de Gassin où je dois aller les porter. J'enregistre le tout sous mon nom. Je veux protéger Karl. Yves demande à ce qu'on m'appelle dès que les résultats seront disponibles, à n'importe quelle heure de la nuit. On dîne tous les deux à la maison, Karl et moi. Je sens qu'il a peut-être minimisé le problème depuis trop longtemps. Mais comment savoir ? On en parle beaucoup ce soir-là. Je suis dévoré d'angoisse, j'attends le coup de fil qui va me communiquer les résultats. Karl le sait. Il attend aussi. J'essaye de me persuader que ça va s'arranger. Pour tuer l'inquiétude, je retrouve Arnaud après le dîner. On traîne à Saint-Trop jusqu'assez tard. À 4 heures du matin, on m'appelle enfin pour me donner les résultats. On me parle de taux, je n'y connais rien. Je demande au laborantin si quelque chose lui paraît bizarre, il est évasif. Le taux de créatinine, les PSA sont très hauts mais la discussion est surréaliste car le laborantin m'explique que si j'ai beaucoup fait de vélo dernièrement (les résultats sont à mon nom), cela peut faire monter le taux. Je raccroche et j'appelle Karl qui me répond. Je lui communique le résultat sans développer davantage. Ma pudeur prend le dessus.

Le lendemain, à la lecture des taux anormalement élevés, les médecins demandent qu'on vienne les voir dès notre arrivée à Paris, deux jours plus tard.

Éric Pfrunder, collaborateur de Karl du côté production d'images, est dans la boucle. Il nous attend au premier rendez-vous chez le docteur Méjean à l'hôpital Pompidou. Mon oncle Jean-Claude nous garde la Rolls en bas. On ne rentre pas dans l'hôpital par l'entrée principale. La curiosité des gens est atténuée par le fait qu'on est à l'Assistance publique, les gens sont au travail. Karl passe une heure avec le médecin. Résultat, il doit le revoir dans dix jours. On nous persuade de ne pas nous inquiéter. Il a des médicaments à prendre. On fait confiance. Dès la sortie de l'hôpital, direction Chanel, Karl est impatient de travailler.

Juste après, je reçois un coup de fil d'Yves Dahan. Selon lui, Claude Abbou veut faire une IRM en urgence. Dahan a pris l'initiative de booker un rendez-vous. On nous attend tout de suite. Je le fais comprendre à Karl. Je suis clair et direct avec lui, comme toujours. Il le sait. Changement de plan, on part donc dans le 16e illico pour l'IRM. Éric et moi attendons dehors pendant la procédure. Il est 20 heures. Avec Éric, Rico pour le premier cercle, on sait combien Karl est une machine. En sortant de l'examen, il appelle sa directrice du studio chez Chanel, Virginie Viard. Elle aimait profondément Karl. De façon assez pure. À elle, il ne dit presque rien. Il ne veut pas l'affoler, il déteste qu'on le plaigne.

Il est tard, plus question d'aller chez Chanel. On rentre au 8, rue des Saints-Pères dont l'entrée secrète est au 2, rue de Verneuil. Le chef a préparé un dîner. Karl n'est pas vraiment en forme mais comme toujours son mental d'acier prend le dessus. Éric ne peut pas rester dîner avec nous, il rentre à pied chez lui. Quand je laisse Karl après le dîner pour aller dans le 6e chez J., ma *girlfriend* de l'époque, je sens qu'il y a quelque chose qui ne va pas, quelque chose qui le dérange. Ça me pèse. Sans entrer dans les détails, j'en parle à J., les larmes aux yeux. Le lendemain à 8 heures, coup de téléphone d'Yves : « Hey beau gosse, faut pas déconner. Tu vas appeler Karl, et tu vas aller directement à l'hôpital américain d'urgence. » Mon pressentiment se confirme. Comme tous les matins, dès mon réveil, j'ai déjà envoyé mon message rituel : « Ça va, cher Karl ? » Je me vois mal le forcer à aller tout de suite à l'hôpital. Je suis pris entre deux feux. Je sens bien que le problème est sérieux. J'attends une heure avant de l'appeler et lui dis qu'Yves nous conseille de nous dépêcher d'aller à l'hôpital américain. Je m'attendais à ce qu'il refuse. Mais il dit : « OK, il fallait que je travaille mais je vais me préparer, on va y aller. » À ce stade, je pense qu'il a compris que c'est important. Depuis quelque temps, il me demandait s'il n'avait pas un peu grossi. Sa façon à lui d'appréhender le problème.

Le soir même, un dîner est prévu dans la maison de Louveciennes avec la rédactrice en chef du *Vogue* USA Anna Wintour et la muse de Karl chez Chanel, Amanda Harlech.

Éric nous attend avec Yves Dahan à l'hôpital américain. Le professeur Claude Abbou nous reçoit. J'escorte Karl dans les différents services pour faire les examens. Ils décident de le placer directement en réanimation. Apparemment, les reins sont bloqués depuis pas mal de temps. Dahan fait l'intermédiaire et nous explique la situation ; elle est critique. Le corps de Karl est plein de liquide. On lui retire neuf litres d'eau. Les marqueurs du fonctionnement des reins ont explosé. On est dans le rouge à fond.

En service de réanimation, je suis le seul admis à voir Karl. Je prends un énorme coup sur la tête. Avec Éric, on se concerte. On informe de la situation Virginie Viard et Bruno Pavlovsky, président des activités mode de Chanel. Il n'y a rien à faire. Je rentre chez moi. Pendant ce temps-là, Amanda Harlech s'apprête à dîner avec Anna Wintour. Obligé de la mettre au courant, je ne parle que d'un problème de reins, sans tout dévoiler.

Un jour se passe. Les reins sont toujours bloqués. Karl est conscient mais fatigué. Pour en arriver là, je réalise combien il a pris sur lui. Il a enchaîné le Festival de Cannes, le défilé Croisière Chanel, les voyages, les rendez-vous, les obligations… On craint qu'il doive être dialysé à vie si les reins ne redémarrent pas. Les médecins ont sans doute déjà prononcé le mot de cancer devant Karl. Pas devant nous.

Claude Abbou et Yves Dahan me confirment qu'on est passés tout près de l'irréversible. Au bout de quarante-huit heures, je préviens Caroline Lebar chez Karl Lagerfeld. Au quatrième jour d'hospitalisation, les reins se remettent à fonctionner. Un petit miracle. Les taux redescendent. Karl est content, il est transféré dans une suite au cinquième étage. Abbou vient lui rendre visite tous les jours. Karl ne veut pas me parler du cancer parce qu'il sait que ça va me renvoyer à la maladie dont sont morts mes parents. On passera encore cinq jours à l'hôpital. C'est une pause forcée qui finalement lui accorde un *break*. J'ai plusieurs fois été dur avec lui pour le protéger et arrêter qu'il donne sans compter son énergie et son temps. Mais qui étais-je pour le lui dire ? Je ne suis que Sébastien, un gars sans éducation, mais je sentais qu'il fallait mettre le holà sur certaines choses. Son chat Choupette a ouvert une brèche de vulnérabilité dans l'intimité de Karl, à travers laquelle beaucoup de gens peu scrupuleux se sont immiscés, se servant de l'affection énorme qu'il portait à ce chat. Je voyais les gens faire et ça me rendait fou. Tant en ont profité. C'était un racket permanent.

Lorsque Abbou prononce enfin le mot de cancer devant moi, je sais sans savoir. À l'issue d'un des premiers rendez-vous chez les médecins, Karl me dira : « Ne t'inquiète pas, ce n'est rien », sa façon à lui de me protéger.

Un paparazzi nous shoote devant l'hôpital et la photo paraît dans les journaux allemands. À la sortie de Karl, tout le monde est au courant sans pour autant connaître tous les détails.

Lorsqu'il quitte l'établissement, Karl va directement chez Chanel pour travailler.

En 1991, Muguette, ma mère, repart elle aussi travailler dès qu'elle se sent mieux. Une tumeur s'est installée dans sa mâchoire. Elle fait la *night*, elle n'arrête pas. Sa meilleure amie est une Yougo qui a commencé sans papiers et qui a fini par avoir cent employés sous ses ordres. Une dure, comme elle. Muguette est opérée. Un staphylocoque s'installe. On la place en milieu stérile. Je ne peux pas la voir. C'est l'année où je commence sérieusement à bosser, en dehors du lycée. Je ne suis préoccupé que par moi-même. Je n'y vois rien, je ne m'en rends pas compte. La maladie de ma mère va évoluer pendant treize ans. Début décembre 2003, j'habite encore à Gonesse mais M., dont je me suis séparé temporairement, préfère que je vienne habiter Paris. En attendant je loge chez mon pote Rémy, au-dessus de sa boulangerie, boulevard Gouvion-Saint-Cyr car un mois plus tôt, une grippe m'a terrassé avec 41 degrés de fièvre ; je me suis vu en train de mourir, mon esprit se détachant du corps. Sans doute ma façon d'exprimer mon angoisse.

Je suis chez Karl, rue de l'Université. Ça fait quatre ans que je bosse tous les jours. L'année de mes 18 ans, ma mère et mon beau-père ont déménagé à La Châtre, dans le Berry. Mon beau-père y a construit un entrepôt où il gare son hélico. Mais tout y est très simple. Là, ma mère commence à s'emmerder. Elle s'occupe de vieux dans une paroisse. Elle se met à s'intéresser à la religion. Elle a toujours aidé les gens. Elle sauve également des animaux de l'abattoir. Un cheval de trait, un autre cheval, des oies, des canards, des moutons… pour lesquels mon beau-père achètera des terrains.

Elle se soigne avec des traitements qui viennent des États-Unis, de Belgique…

Peu de temps avant de mourir, elle se fera baptiser.

Ça fait un bout de temps que je n'ai pas vu ma mère, mais je lui parle tous les jours même si sa mâchoire ne fonctionne plus vraiment. À chaque fois que je l'ai au téléphone, ça me brise tellement le cœur que mes nerfs explosent. Pour expulser ma tristesse et mon angoisse, je casse. Je me sens impuissant. Je casse des pare-brise en envoyant un coup de poing dedans, de même dans des murs, des portes, la télé, ou des gueules parfois. Les médecins ont envoyé ma mère dans une clinique des Pyrénées. Je prévois une visite surprise lors d'un week-end. Mon beau-père me prévient qu'elle n'est pas en bon état. Ma mère ne peut plus bouger. Elle parle avec difficulté, mais elle pleure de joie lorsqu'elle me voit. On déjeune avec mon beau-père dans un petit restaurant à côté de la clinique. Le dimanche, je reprends mon vol vers Paris. On est tout début décembre. Trois jours plus tard, je suis au 51, rue de l'Université, mon beau-père m'annonce que Muguette est morte pendant le trajet en ambulance qui la transportait de Limoges à l'hôpital Georges-Pompidou.

On a un rendez-vous à 15 heures avec Karl. Il est 14 h 30.

Karl est descendu. Il est venu vers moi. Il m'a embrassé. C'est la première fois. Il me dit de rentrer chez moi.

Le soir même, je suis à l'entraînement de boxe à Gonesse. Je refuse de m'apitoyer sur quoi que ce soit.

Mon premier voyage à New York, 2001

Je m'en souviendrai toujours. C'est mon premier New York. La folie ! Jean-Michel Jouannet, le chauffeur attitré de Karl, est là. C'est au mois de juin. Quelques mois plus tôt, début mars, j'ai mené mon premier combat de boxe full-contact (boxe américaine) en catégorie pro à Nantes. J'ai perdu aux points mais ils m'ont volé, sinon j'aurais gagné. Peth, William qui fait de la boxe avec moi, mon équipe de Garges-lès-Gonesse avec qui je m'entraîne, dont Jean-René Van, un prof de Garges et mon entraîneur Khalid, ont fait le voyage pour me soutenir. En revenant, on a fêté mon anniversaire dans un petit resto en banlieue qui faisait des pizzas, tenu par la famille de Romain, qui bossait chez CST. Mon anniversaire, le 6 mars, est toujours tombé pendant la semaine des collections à Paris, en pleins préparatifs du défilé Chanel, suivi de séances de photos…

Cette année-là, trois mois plus tard, en mai, j'ai défilé avec quatre potes pour la marque APC fondée par Jean Touitou. Il voulait caster des boxeurs. Je me souviens surtout d'Amar et Silver (mon prof de boxe anglaise)… Karl, à qui j'ai demandé l'autorisation de le faire, m'a dit OK les yeux fermés.

C'est aussi l'année où Karl opère sa métamorphose. Chez L'Éclaireur, boutique multimarque, un Colette avant Colette, fondée par Armand et Martine Hadida, il achète les toutes premières vestes exclusives dessinées par Hedi Slimane pour Dior Homme et m'en offre une. Karl est devenu tellement mince qu'il veut changer de look. Son admiration et son amitié pour Hedi Slimane s'y ajoutent. Au début, il est si fier de sa nouvelle minceur qu'il me demande de lui acheter la même taille de jean que moi chez APC. Je les lui dépose au 51, rue de l'Université. Cette victoire sur son corps et sa corpulence va lui servir à créer un nouveau Karl. Il dit à tout le monde : « Regardez, je mets la même taille que Sébastien. » C'est probablement la première fois qu'il remet un jean depuis une éternité. Après ce jean, il va chez Dior Homme essayer toute la collection d'Hedi Slimane. On dirait que tout est fait pour lui. Moi, c'est la toute première fois que je porte un vêtement Dior.

À New York, cette année-là, Karl va recevoir un Award du CFDA, une sorte d'Oscar dans le monde de la mode. À l'aéroport, on retrouve Éric Pfrunder. Je suis super stressé. C'est mon premier grand voyage avec Karl. Je dois gérer une avalanche de bagages, quelque vingt-cinq valises, contenant vêtements et livres. Là-bas, je me suis promis de faire du shopping et de retrouver mon pote Gaspard. Toutes les séries américaines de ma jeunesse m'ont nourri d'images d'une ville sur laquelle je fantasme depuis longtemps. Je suis également en charge de toute la bouffe dans l'avion. Le régime drastique de Karl m'y oblige. J'emporte jusqu'au Canderel, en plus des sachets de protéines, du beurre et des pains spéciaux, outre tous ses petits-déjeuners préparés à l'avance… Des repas ont bien sûr été cuisinés par le chef pour son vol. Je compte les valises, établis un inventaire à l'aide d'un appareil photo. Mon oncle a déjà transporté les bagages à l'aéroport afin de les préenregistrer.

Le supplément bagages représente à mes yeux une somme colossale. C'est la première fois que j'accompagne Karl en long-courrier. Il vole en première classe avec Éric Pfrunder, moi en business avec Jean-Michel. Je suis comme un gosse.

À New York, on descend au Mercer, un hôtel à l'esthétique minimale dont la décoration est entièrement faite par Christian Liaigre, une des signatures qu'aime beaucoup Karl. C'est la première fois qu'il descend dans un hôtel de Soho. Ça deviendra par la suite son adresse en ville. Dans le lobby, on croise tout ce que New York compte de mieux, des légendes de la mode, du cinéma, de la musique… Moi, je deviens fou. J'embrasse le sol car je débarque sur ma terre promise. Dans la voiture, Karl dit à Jean-Michel de me laisser m'asseoir à l'avant pour découvrir l'arrivée à Manhattan. Le bruit des sirènes de police, les buildings, les rues, les panneaux, tout me rappelle mes séries télévisées. J'ai l'impression de tout reconnaître et en même temps je suis plongé dans l'inconnu. Le décalage horaire n'a aucun effet sur moi. Je ne dors pas. Je suis surexcité et je pars courir dans New York, parfois trois heures d'affilée. On va rester quatre-cinq jours.

C'est le premier des voyages que je ferai régulièrement, parfois plusieurs fois par mois, lorsque les bureaux de la marque Karl Lagerfeld seront installés à New York.

Sur place, on voit bien sûr Ingrid Sischy et Sandy Brant, qui vivent ici. Elles sont déjà venues à Biarritz en vacances. Elles sont des figures intellectuelles et hyperconnectées de l'intelligentsia new-yorkaise, grandes amies du tout premier cercle de Karl, datant des années où ils formaient un clan chic et fêtard avec Andy Warhol et même Yves Saint Laurent…

Entre l'été 1999 et 2001, je me sens vraiment adopté par les proches de Karl. Je déjeune ou dîne avec lui, chose que personne ne fait. Je prends aussi des initiatives, alors que les autres ont peur de le faire.

A., ma petite amie, elle non plus n'est jamais allée à New York. Je suis tellement centré sur ce qui m'arrive que je ne réalise pas grand-chose de ce qu'elle ressent alors que je ne lui ai pas demandé de m'accompagner. C'est d'ailleurs ma mère, pas A., que j'appelle pour tout raconter. Elle non plus n'est jamais allée à New York.

Sur place, je retrouve donc Gaspard, qui vient d'une famille zaïroise et habitait au coin de la rue à Gonesse. Toute notre jeunesse, au club d'Orgemont, il organisait des défilés de mode pour des copines. Son rêve a toujours été d'être booker dans une agence de mannequins. Il est devenu le boss de l'agence Next à New York. Ça fait déjà quelque temps qu'il habite outre-Atlantique. Le lendemain de la cérémonie du CFDA, Karl qui ne veut pas bouger de l'hôtel jusqu'au dîner nous encourage à nous balader. Avec Jouannet, on marche jusqu'au World Trade Center. J'en profite pour acheter des baskets dans tous les sens. À la cité, c'est Tom B, le cousin de Peth, qui rapporte de ses voyages à L.A., où sont installés ses cousins, des baskets de la côte ouest. Mais là, c'est moi qui vais rapporter de New York les modèles tant convoités.

Gaspard, qui connaissait bien ma mère, est une crème, un géant élégant et sympathique, qui m'a toujours tiré vers le haut. Il vient me chercher au Mercer en Mercedes cabriolet. Son coloc, Peter, un Portoricain, est avec lui et deux mecs de gang sud-américains, tatoués jusque sur le visage, très sympathiques. Il m'emmène chez les coiffeurs latinos. On vadrouille ensemble. Je réalise une partie de mon rêve. Karl m'a laissé une enveloppe de liquide pour mes défraiements.

Il y a des culs partout dans la rue. Je ne sais plus où donner de la tête. Tu peux faire tourner hétéro n'importe quel gay en deux minutes tant les filles sont sublimes. En cabriolet, on part dans les cités qui bordent Manhattan. Avec les deux tatoués, on se prend en photo, je me fais un film, je me prends pour un gars du ghetto. Ce jour-là, j'ai mis un temps fou à comprendre qu'en fait, ces gros durs étaient tous gay. Et je n'avais rien compris.

Le soir, Karl nous invite au restaurant, une adresse d'Ingrid qui connaît tous les nouveaux spots. À une table voisine, je dîne avec Jean-Michel. Jusqu'à sa mort, Ingrid a été ma New York mama. À une autre table, un groupe de filles, l'une d'elles me mate. Je renvoie les regards. Au moment de partir avec Karl, je lui chuchote que je loge au Mercer. Quelques heures plus tard, je la retrouve à la boîte au sous-sol de l'hôtel, le Submercer. Et ce n'est que le deuxième jour…

À la soirée du CFDA, j'y suis en tant que garde du corps. C'est ma première grosse soirée américaine et aussi la première fois que je mets un costume noir. Karl me l'a acheté chez Dior Homme. Je me sens beau gosse mais je ne me suis jamais considéré comme beau, même si je sais que je plais. Ce soir-là, même les mecs se retournent sur moi. Complètement dans mon rôle, en charge de la sécurité, je suis en état d'alerte, à l'écoute de tout ce qui se déplace, de tout ce qui bouge autour de moi, je me prends pour Kevin Costner dans *Bodyguard*. Le tapis rouge est très long, ponctué de keufs tous les 3 mètres. La foule siffle, les flashs claquent. Soudain, j'entends un cri dans la foule, je vois des trucs qui volent, quelqu'un saute la barrière de sécurité et tente de se précipiter sur Karl. C'est la PETA – l'association contre la fourrure animale – qui manifeste. Je plaque la personne au sol. Elle est hystérique. Tout s'est passé très vite. Éric Pfrunder qui a pris à la place de Karl a son costume plein d'un mélange de farine et d'œufs. Calvin Klein, derrière nous, a eu le reste en pleine figure.

Le lendemain matin au Mercer, Karl m'appelle et me demande si je suis content de moi. Il me dit de venir devant la porte de sa chambre. Il a glissé par en dessous la quatrième de couverture d'un grand quotidien américain. Sur la photo, on voit le visage de Calvin Klein maculé de ce qu'il a reçu en pleine figure la veille, sur le tapis rouge. Et derrière lui, le regard fou, en état de survigilance, tourné vers la foule, moi.

Karl, amusé, n'est pas peu fier de son petit Seb, je crois. Et moi, bien sûr, je me sens comme Superman.

J'ai gardé la chambre 209 au Mercer pendant dix-huit ans.

À côté de K

Quand je débarque dans la vie de Karl, j'arrive au milieu d'une bande. Je découvre assez vite Éric Pfrunder, vers 1996, sur les shootings de Karl et dans ses différentes maisons.

En 1997, Karl m'avait pris en photo, un peu comme une plaisanterie dans le studio de la rue de l'Université. Je viens de m'acheter une BMW 325IS d'occasion bleue M3 Avus blues, intérieur cuir blanc cassé, un kit Hartge. D'habitude, je ne m'en sers que le week-end mais ce jour-là je l'ai prise pour aller rue de l'Université. Je rentre dans la cour avec ma voiture. Karl m'a donné rendez-vous. Je ne suis pas là en tant qu'employé de la CST. Il veut profiter d'un shooting pour faire des portraits de moi. L'idée vient d'une conversation à Hambourg dans sa maison, la villa Jako. J'ai dû dire que j'aimerais bien faire des photos mais Karl et moi, on sait que je ne veux pas vraiment que ce soit mon avenir. Me retrouver en caleçon et faire le beau, ce n'est pas mon truc. Odile Gilbert me coiffe. Heidi Morawetz me maquille. Éric est là. J'attends des heures. Du coup, je parle avec l'équipe. Karl finit par faire les photos mais on voit bien que ce n'est pas mon truc et surtout je ne ressemble pas à un mannequin, je le sais et lui aussi. Mon ego s'est emballé cinq minutes, mais rien de plus. Karl le fait pour me faire plaisir, par jeu. Les photos sont tout de suite imprimées. Éric est jovial, sympathique, drôle. Il a ce côté Afrique du Nord qu'on kiffe lui et moi. Je suis le plus curieux, le plus ouvert, le moins paralysé par la peur du personnage et la somme de travail ne m'a jamais arrêté. On est tout de suite sur la même longueur d'onde. Il est très vite familier. On baisse facilement la garde. À la fin de la journée, je repars avec ma voiture et mes photos dans mon 95. Plus je le connais, plus je constate qu'Éric m'apporte beaucoup ; une façon de se comporter, une autre éducation, une manière de charmer, de devenir plus doux, plus ouvert, plus agréable, il m'apprend à arrondir les angles. Au début, avec un de ses protégés, un des assistants photo vers 1999 ou

2000 au 7L, j'ai été insultant. Ce garçon, Fred, m'a demandé d'aller chercher du papier toilette pour les W-C du studio photo et je lui ai dit devant Karl et Éric : « La prochaine fois que tu me parles comme ça, je te défonce la bouche. » Éric m'a pris à part et m'a dit : « Va mettre du papier dans les toilettes », me faisant comprendre à ce moment-là que je devais me plier à sa hiérarchie et à son autorité. Ça m'a douché, mais j'ai compris la leçon. Encore aujourd'hui, je vouvoie Éric. Quelque temps avant, l'armée m'avait déjà appris le sens de l'autorité et de l'obéissance. Mais là, je n'ai rien vu venir. On ne me met pas à l'amende deux fois. Au début, je pensais que j'étais le plus atypique du groupe mais au fond je trouve que nous le sommes tous. J'ai demandé un jour à Karl s'il connaissait la vie de son équipe en dehors du travail. Quand je travaillais chez CST, je savais ce que faisaient les gars en dehors du boulot. Dès qu'ils avaient fini de bosser, ils partaient chez eux retrouver leur vie. Moi, je n'avais pas de vie à côté. Tout était tellement lié à Karl.

À partir de l'été 1999, les choses ont progressé avec Éric. Il était un des seuls à venir en vacances à Biarritz, avec sa femme Karen et leurs enfants : Candice, Tess et Jasper. En 2004, Karl en a un peu marre des soirées mondaines. Il a également eu la visite de manifestants contre la mairie de Biarritz, qui, décidant d'attirer l'attention des médias, ont atterri chez Karl… Cette décision « d'alléger » son emploi du temps à Biarritz sera peut-être un soulagement pour les autres aussi. Amanda Harlech sera une des seules à continuer de venir. De mon côté, je me suis toujours débrouillé pour avoir le mois d'août consacré à mes vacances. À cette époque, je vais depuis deux, trois ans chez Khemis, dans sa maison à quelques kilomètres de Barcelone. Sur la plage, il y a un club de Jet Ski et très peu de touristes français. Beaucoup de Barcelonais viennent y passer des vacances ou des week-ends. Cette année-là, je loue une maison juste à côté de celle de Khemis, pour Peth, Saber et moi. Mes vrais amis, je les compte sur les doigts de plus d'une main. Ils sont comme mes frères. C'est réciproque dans 98 % des cas. Je n'ai que des demi-frères, je suis fils unique. Peth, Saber et les autres, je les ai choisis.

En juin, je reçois un coup de fil de Jouannet. Il me dit que je dois pouvoir emmener Karl en voiture à Biarritz pendant l'été. J'en ai les larmes aux yeux, car je tiens à partir avec mes potes. Je suis prêt à démissionner. La mort dans l'âme, j'appelle mes potes pour leur dire que je ne serai pas avec eux. L'année précédente, j'étais déjà chez Khemis, et eux au camping. On était descendus séparément, en trois voitures. Je transportais mon Jet Ski dans la mienne. On est partis au même moment que tous les aoûtiens, mais on a roulé de nuit. On a fait une pause vers Perpignan pour dormir dans nos voitures. Quinze heures pour faire 800 kilomètres. Au camping, Peth et Saber ont des tentes dont ils ont oublié les montants et pas de tune. De mon côté, j'ai déjà revendu la BMW. Le Jet Ski, je l'ai récupéré auprès de quelqu'un qui nous devait de l'argent. On ne parle presque pas espagnol. Je vais chercher les enfants de Khemis, ses deux gamins qui parlent mieux espagnol que nous.

L'endroit où on passe ces vacances que j'adore est une zone pavillonnaire, avec des bars à putes, la nationale, la voie de chemin de fer, la plage… mais pour nous, c'est le paradis. Au petit club maritime, on remise nos Jet Ski. Khemis y a sa maison depuis quatre ans.

Pour trouver des montants de tente, on organise une opération avec les gosses, Peth et Saber, au magasin qui fait épicerie et vend du matériel de camping sur trois niveaux. Le petit Alexandre fait le guet dans l'escalier, le deuxième occupe le caissier, pendant que Peth et Saber attendent en voiture devant le magasin. On n'a pas un rond. Alors, du toit terrasse de la boutique, je jette les montants pour les tentes à mes potes qui les récupèrent en bas et se taillent. Les enfants et moi, on sort sans problème et on rentre à pied. Sauf qu'une fois arrivés au camping, on s'aperçoit que ce ne sont pas les bons montants. Même si on a fait des conneries à Gonesse, le vol n'a jamais été notre truc. Il m'est arrivé de voler des voitures pour rentrer chez moi, mais c'était avant d'avoir le permis et ma première voiture. Je ne me suis jamais fait prendre. Ma spécialité, c'était la course-poursuite avec les flics en deux roues. C'était mon kiff. Une des deux seules fois où je me suis fait attraper, c'est quand j'ai laissé ma motocross dans l'entrepôt de mon beau-père. Il fallait la protéger sinon on te la chourait. Mais un flic que connaissait mon beau-père a reconnu le deux-roues dans l'entrepôt. C'était déjà au moins la quinzième poursuite que je faisais.

Je les semais en ville, puis à travers les champs en finissant dans la zone industrielle. Je mettais toujours un casque. Ça m'a sauvé la vie plusieurs fois. On n'était pas des méchants, mais on aimait s'amuser.

Les flics m'ont cueilli à la sortie de l'entrepôt. Ils m'ont emmené au poste où j'ai récolté toutes les amendes possibles. Ma mère m'a sorti de là sans le dire à mon beau-père, mais le flic qui le connaissait m'a balancé et j'ai eu le droit à une dérouillée sévère.

Biarritz

L'été de mes premières vacances avec Karl dans sa propriété de Biarritz, je descends seul, dès mi-juillet dans mon petit RAV4. Jouannet a réservé l'hôtel pour le maître d'hôtel, Frédéric, fils de l'ancien maître d'hôtel de Karl, hyperprofessionnel mais qui parle beaucoup, et moi. À Biarritz, le personnel de la maison est déjà sur place. Je ne connais la ville qu'à travers mon travail à la CST. Cette fois, je fais partie de la famille des salariés de Karl. L'hôtel choisi est miteux, à la sortie de la ville, j'ai une chambre lugubre. J'ai froid. Je ne fais pas encore de surf.

Je suis dégoûté. Le maître d'hôtel aussi. J'appelle Jouannet. Même un crevard comme moi n'aurait jamais pris un hôtel pareil. C'est là que j'ai compris que dans l'univers de Karl, comme dans ma vie, je dois faire les choses moi-même. Les autres s'en foutent. Par la suite, je saurai m'occuper de mon équipe : j'ai fait voyager les gens avec Karl dans son avion privé. Il s'est beaucoup détendu là-dessus, grâce à moi et à ma vision.

Je n'ai pas une mentalité de victime. Lorsqu'on naît victime, ce qui est mon cas, et encore, j'ai de la chance, tu te dis que tu ne peux pas descendre plus bas. Mais je n'admets pas la fatalité.

Finalement, j'ai trouvé un endroit beaucoup plus sympathique, l'hôtel de Paris, sur une petite place, face à la mer, dans Biarritz.

Le gardien de la villa Elhorria est le mari de la sœur de Jouannet. Karl arrive quelques jours après nous tous. Je me demande vraiment ce que je vais faire pendant ce mois d'août qui promet d'être tout sauf les vacances dont j'ai envie.

Plus tard, Éric Wright qui travaille chez Fendi viendra nous rejoindre, un grand Black précieux, généreux en pourboires, de même qu'Amanda Harlech et son compagnon, Nils, et leurs enfants, puis le couple Ingrid Sischy et Sandy Brant avec leur chat, et la famille Pfrunder... Hedi Slimane passera avec son compagnon Yann. Ensuite ce sera le tour de Virginie Viard, le bras droit de Karl au studio Chanel, son compagnon Jean-Marc et leur fils. Se succéderont Steven Gan et ses mecs, Charlotte Casiraghi et ses copines, mais aussi Pierre et Andrea Casiraghi et leurs amis... Je les verrai tous dans leur quotidien, au naturel, avec ou sans Karl. Ici on est entre nous, je vois tout. Je dois aussi fermer les yeux sur certaines choses.

Ce premier été, mon oncle et un chauffeur de la CST viennent livrer des meubles et des objets d'art à la villa. Je ne travaille plus avec eux, mais je suis heureux de les voir. La Vigie, propriété où Karl vivait près de Monaco, a été vidée depuis 1997. Josette, la femme de chambre de Monaco, est là aussi.

Le chauffeur emmène Karl à la librairie de Biarritz, il ne sort pas encore en ville pour parader. Il reste tranquille chez lui. Il a choisi cette maison car elle appartenait au poète Alan

Seeger. Le studio photo est dans une bâtisse sur le terrain. L'énorme piscine est en ardoise noire.

Je n'ai ni potes, ni meuf, cet été-là à Biarritz. Je sympathise avec le gardien qui me raconte ses histoires de l'armée. Il joue bien son rôle de chef de la maisonnée. Dans la vie de Karl, il y en a eu beaucoup qui voulait être chef. Jouannet fait office de DRH, il s'occupe du personnel. Tous mes potes, ma meuf et Khamis sont en Espagne. Je tourne en rond.

Karl a un Hummer H1 dont il a fait faire la couleur sur mesure, un rouge basque assez foncé, conduit par Jean-Claude, de Monaco. Karl sait que j'aime les voitures. Il me dit que je peux faire un tour avec pendant la journée si je veux. J'ai 24 ans, je suis encore un enfant. Grâce à l'influence du maître des lieux, je commence à comprendre que les livres sont importants. Je vais essayer de lire car j'ai du temps, mais j'ai du mal. J'essaye quand même. Nos vies ne sont pas encore sous l'influence d'Instagram ou de Facebook. Ma grand-mère paternelle m'avait offert des livres. Je dessinais aussi beaucoup. J'aurais sans doute pu développer des dons artistiques si la vie m'en avait laissé l'occasion. À Biarritz, commence le temps de la découverte, au contact d'un homme assoiffé de culture. Malgré tout, mon côté gosse joueur reprend vite le dessus. Je deviens copain avec le fils du gardien. On va se faire serrer en BMW 750 IL dans Biarritz par les flics parce que j'ai décidé de prendre tous les virages en travers. « Alors on fait joujou avec la voiture de papa ? » disent-ils. Pour une fois, je fais profil bas.

Karl me voit tourner en rond dans la maison. Il me demande : « Mais pourquoi vous n'allez pas en Espagne, c'est à côté. » Il ne sait pas que l'Espagne où je voudrais être, c'est à 600 kilomètres. Il pense que je n'ai qu'une heure de route. Il m'encourage à y aller deux ou trois jours. On part avec le fils du gardien en BMW. J'aime partager mes kiffs. Comme tous les employés, on a reçu une enveloppe de liquide selon notre hiérarchie. Saint-Sébastien, Irún, Saragosse, Barcelone, je fonce, heureux et libre. Sur la route, Jean-Claude le chauffeur de Monaco m'appelle. Karl est fâché, il veut la BMW. Pris en flagrant délit de désobéissance et de liberté. Pas de bol. Demi-tour. J'ai déposé la BMW à Biarritz mais, sans même attendre une seconde, je suis reparti dans le RAV4. J'ai quand même le sentiment d'avoir fait une grosse bourde… Quand j'ai retrouvé Khemis, on a acheté un scooter des mers à deux. Après quatre jours pour moi, je rentre à Biarritz.

À la villa, Karl a des invités, sans doute ses amies Sandy et Ingrid, si je me souviens bien. À l'époque, je ne connais rien bien sûr de celle qui a fondé le magazine *Interview* avec Warhol. Pour moi, Ingrid est un mec. Elle me parle avec un aplomb que je n'ai vu que chez des hommes. Elle me *drive* comme si j'étais un petit enfant de 5 ans même si elle me met à l'aise. Je découvre ce couple de femmes homosexuelles, intellectuelles et new-yorkaises, assortiment atypique et assez improbable. Moi je suis une boule de muscles qui n'a peur de rien. Karl a parlé de moi à Ingrid et Sandy, leur disant sans doute qu'il a récupéré un gosse de la banlieue. Pendant une semaine, je conduis Ingrid et Sandy pour aller en ville. Je suis un peu dégoûté car mon rêve c'est de m'occuper de Karl. Il aime faire démonstration de son train de vie, mais avec une immense générosité. Tous les jours, je remercie le destin et la façon que j'ai trouvé de rebondir.

Après leur départ, Karl me dit qu'il y a quelques jours avant l'arrivée des prochains invités et leurs enfants. Il m'encourage à repartir en Espagne. Cinq minutes plus tard, je suis de nouveau sur la route. Là-bas, il fait chaud. Je suis avec ma famille de cœur. Je suis heureux. Tout est très simple. On s'amuse avec des trucs de prolos mais c'est le bonheur. Pas une goutte d'alcool, pas de clopes.

De retour à la villa, les nouveaux invités sont arrivés. Sur le terrain, la bâtisse qui abrite le studio photo n'est pas loin d'une petite dépendance qui devient la maison d'Éric Pfrunder, alors que ses enfants dorment dans le studio photo.

Dans la maison principale, logent Amanda Harlech, son compagnon et ses deux enfants. Karl me charge de m'occuper d'eux. Il ne déjeune pas avec ses invités. Il ne les retrouve que le soir. Je me demande bien ce que je vais faire de ces bourgeois, même si Amanda est charmante.

Très vite, je vais plonger dans l'intimité de chacun. Le sport va être ma porte d'entrée.

Karl me voit en GO, ça m'énerve un peu. Je ne connais rien au surf mais ça m'intéresse. Ça a de l'allure, c'est beau, c'est extrême et puis les filles qui suivent les surfeurs, ça me plaît aussi. J'ai besoin de shot d'adrénaline. Ça me tient.

Les dîners se passent sans moi. Douste-Blazy, Roselyne Bachelot, les Hebey, le merveilleux Vincent Darré, Françoise Dumas… tant de monde passe ici.

Le lendemain de leur arrivée, dès 8 h 30, je mets les invités et leurs enfants au sport : équitation, cours de surf, go-kart… Les moyens que me donne Karl pour faire tout ce que j'aime sont une opportunité fantastique, même si je ne le réalise pas. Tous les jours, même programme : le goûter se fait à la maison. Je découvre le respect que certains me témoignent déjà car ils décèlent une certaine proximité avec Karl qu'eux-mêmes parfois ne sont pas arrivés à établir. Les enfants d'Amanda Harlech se mettent à me vénérer. Leur mère est ravie. Son compagnon aussi. Ils en parlent à Karl et je sens qu'ils disent des choses positives à mon égard. Je gagne des points. C'est important.

Les après-midi, j'ai parfois le temps de retrouver des mecs du quartier de Goussainville qui sont là en vacances. C'est un hasard. Quand j'ai du temps libre, on écrème les boîtes de la région ensemble.

Éric Prfunder m'implique dans sa vie. À la différence des autres invités, il me demande de rester déjeuner avec eux. Que je sois seul pour le déjeuner, pour lui, c'est inconcevable. C'est le point de départ d'une relation qui va s'enrichir. Deux semaines plus tard, c'est peut-être grâce à l'influence d'Éric que Karl me demande de dîner avec lui et ses invités. Petite révolution de palais. Je suis servi à table ce soir-là par le personnel de la maison. Quand Frédéric ou Jean-Claude garnissent mon assiette et changent mes couverts, je suis gêné. Ils sont là depuis des années mais, là, je suis au même rang que les invités. Je comprendrai au fil du temps que ça parle beaucoup dans mon dos et que personne n'ose me confronter. C'est la première fois que je prends la mesure de ce que j'apporte à Karl, un vent nouveau, quelque chose de vrai, sans contrôle. Les activités sportives dans lesquelles j'emmène tout le monde font parler à table… J'ai pu obtenir la privatisation de l'intégralité du parcours de kart pour les enfants, booker trois profs de surf au lieu d'un, faire marcher les chevaux sur la plage alors qu'en cette saison c'est interdit… Les moniteurs de surf, d'équitation et de kart se sentent proches de moi. Mon origine et ma façon d'être ouvrent des portes, facilitent les choses. Tout n'est pas dû à l'argent de Karl. Dans cette parenthèse de vie de riche, j'offre aux invités une forme de simplicité. Amanda, comme ses enfants, adore ça. Mon côté atypique fait tomber les barrières. Mon mode débrouille sympathique décrispe. Ce sera ma force. Transformer cette corvée de devoir s'occuper des invités à travers le sport devient un cadeau de la vie.

Par la suite, tous les soirs du reste des vacances, je dînerai à la table des invités.

À la toute fin du séjour, Karl me complimente. Tout le monde m'a adoré dit-il : « C'était magique. » L'enveloppe qu'il me donne est à l'égal de sa gratitude.

Brad, Baptiste et Jake

Je rencontre Brad après un shooting, au 51, rue de l'Université. On doit être en 2002-2003. Steven Gan, fondateur du magazine *V*, l'a propulsé dans l'univers de Karl. Il habite aux US donc il n'est pas souvent là. Chaque fois qu'il vient à Paris, il loge dans un petit appartement attenant à la grande salle de bal de l'hôtel particulier où Karl loue deux étages. Steven Gan, lui, loge dans un appartement d'invités sous les combles. Brad n'est pas méchant. Avec Jake et Baptiste, il compose le trio des garçons dont

Karl s'est entiché. Ce sera toujours le même procédé pour chacun. Brad est à toutes les sauces, dans les campagnes publicitaires, au sein du travail photographique, dans les voyages, les défilés, etc. Karl me persuade que je vais très bien m'entendre avec lui. Aux États-Unis, il a une famille, des parents, un frère et une sœur. Il est assez équilibré. Cet engouement de Karl pour Brad va durer longtemps. Il viendra même en vacances à Ramatuelle. J'ai l'impression que Brad est quelqu'un d'intéressé, il ne veut rien dépenser, il est un peu capricieux avec les gens avec qui il travaille. Ceux qui lui font face savent que tout sera rapporté à Karl. Même s'il est heureux et que ses tocades lui font du bien, il ne faut jamais oublier que Karl met en jeu une certaine manipulation, aime l'exercice du pouvoir, jouit de la fascination qu'il exerce, s'amuse de sa capacité de retirer à tout moment ses faveurs… Diviser pour mieux régner, c'est – aussi – son privilège.

Au début, je ne comprends pas exactement ce que représente Brad dans la vie de Karl. En 2005, je perçois davantage la mécanique de ces amitiés particulières. Karl fait des images magnifiques de Brad. Il lui arrive parfois, de partir seul à pied, faire des photos avec Brad au Studio 7L. Le fils de Brad, Hudson, deviendra le filleul de Karl, couvert de cadeaux à outrance. En 2008, ce sera Baptiste qui va arriver dans le paysage. Karl aimait monter les garçons les uns contre les autres. C'est la part perverse de sa personnalité dont j'ai été le témoin. Baptiste va pousser ses avantages plus loin que Brad ne l'a fait. Lorsqu'il sera enfin préféré à Brad et que ce dernier demandera de l'argent à Karl par fax, Baptiste, en riant, suggérera que la somme lui soit versée à lui à la place. La scène se passe dans l'appartement du quai Voltaire. Je lève les yeux vers le Louvre à travers les fenêtres, je n'en reviens pas.

La même année, en 2008 donc, j'ai emmené Baptiste en vacances à Las Vegas avec ma *girlfriend*. Baptiste a déjà passé une semaine avec nous à Ramatuelle fin août, mais je ne réalise pas encore de quoi est fait son personnage. Il est plus souvent avec nous que chez lui. Baptiste demande systématiquement le prix de tout, son « combien ça coûte ? », je l'entends mille fois par jour. À Paris, Karl le loge dans un petit appartement, rue de Lille. Après le défilé de haute couture en 2009, je pars une semaine en Espagne chez Khemis avec Jake, un autre des garçons de Karl. Les jours qui ont précédé notre départ ont été un peu tendus. Au cours d'une conversation téléphonique, je dis à Karl que j'espère que l'été va bien se passer. Karl me répond : « Il faut que tu comprennes que Jake, Brad, Baptiste, c'est différent de toi. Toi et moi, on travaille ensemble. » Je suis un peu glacé mais au fond est-ce que ça ne veut pas dire que les autres sont jetables à tout moment ? Et que Karl et moi sommes liés par un autre genre de contrat, à mes yeux beaucoup plus moral que financier, plus profond. Le temps le dira mieux que tout.

Pour les étés à Ramatuelle, Karl loue une villa en plus de la sienne dans La Réserve, car il a des invités chez lui, ainsi la numéro 19 devient « ma » villa. Il m'assure de cette façon une sorte d'indépendance-dépendance, jamais loin de lui. Lorsque La Réserve fait des travaux dans la villa 16, on prévoit également une extension exclusivement pour moi. Par ailleurs, ma lassitude de devoir supporter Baptiste augmente. Il répète tout dans les moindres détails à Karl. À chaque fois que je le conduis ou que je suis avec lui, ce qui est mon travail, Baptiste est là. Brad était là lui aussi mais de temps en temps, tandis que Baptiste est là non-stop. Il a 20 ans, ne fait rien de sa vie, et est pris dans un engrenage qui très vite va le dépasser. Karl l'encourage dans une pente dangereuse. La différence entre Baptiste et Brad ou Jake est qu'eux ont une famille chez laquelle ils retournent. Ils ont des centres d'intérêt, une vie ailleurs. Baptiste, rien. Je sens bien que Karl change de comportement dès qu'il est là, il devient moins sympathique, moins sincère. Il est plus que généreux avec lui, il adore l'exhiber. C'est la facette marionnettiste de Karl. Des Brad, des Jake et autres j'en ai vu mais ils passent. Celui-là s'incruste. Et moi, je suis pris dans le trio. Depuis neuf ans, je suis le chauffeur de Karl, son assistant et garde du corps, on partage énormément de moments, je suis sept jours sur sept avec lui jusqu'à ce que soudain, la mécanique se grippe. J'ai un sentiment d'incompréhension et de dépossession. Jusque-là, les autres n'interféraient pas trop dans ma relation avec Karl. L'année suivante, je perce le côté machiavélique du dernier venu. Sa mère aussi arrive très vite en scène. Baptiste répétera à la lettre certaines phrases que Karl disait, sans jamais avoir sa profondeur, en décolorant ses propos de toute leur texture humaine extraordinaire. Baptiste le met au téléphone portable, l'initie aux textos. Mon ego en prend un coup, j'ai le sentiment de perdre le contrôle. J'étais prêt à tout donner pour Karl. Je fais la gueule. Karl laisse du pouvoir à Baptiste, mais ce dernier n'est pas assez inspiré pour l'utiliser à bon escient. Karl me fait des cadeaux, de façon spontanée, sans occasion particulière, en doublant tout pour Baptiste qui semble d'une jalousie folle. Puis arrive son anniversaire, Karl lui offre un cadeau hors du commun : la montre de son propre père. Deux mois plus tôt, Baptiste ne lui a rien offert pour le sien.

En décembre, à Shanghai, Karl fait chanter Baptiste avec Vanessa Paradis lors d'un événement Chanel. C'est grotesque, embarrassant. Mais puisque Karl l'a décidé… Tout le monde fait semblant de trouver ça génial.

À Noël, on fait notre dîner rituel tous les deux, Karl et moi. Des milliardaires polonais lui ont offert une Rolls Royce cabriolet.

Je suis fier de ma position auprès de Karl, de cette place que j'ai conquis seul, de celui que je suis devenu mais, à l'issue de cette année, je sais qu'on m'associe à Baptiste et ça m'insupporte. À l'époque, je n'ai pas assez de recul sur moi-même pour savoir l'analyser. Je dis à Éric Pfrunder que je veux arrêter. Je sens qu'une violence monte en moi. Je réprime tellement de choses que je voudrais hurler. Éric me calme. Fin 2009, je suis célibataire, je pars seul rejoindre des potes à Miami puis à Saint-Barth.

Grâce à Éric et ses paroles apaisantes, je commence janvier 2010 détendu, pensant à autre chose. Pendant qu'on prépare la haute couture de janvier chez Chanel, je tombe sur Baptiste rue Cambon, accompagné de son père, ce qui est rare. C'est la première fois que je le rencontre. L'après-midi même, Baptiste passe au studio Chanel et je l'entends dire à Karl : « C'est fini, j'en ai rien à foutre de tes trucs, de tes mondes, de tes cadeaux… Si tu veux, je te rends tes montres et tout le reste… » Karl l'a regardé en silence et lui a dit froidement : « Fais ta vie, pars si tu veux… » Je n'en reviens pas qu'on puisse dire ça à Karl. Je me dis que Baptiste s'est enfin regardé dans une glace et que sa lucidité a pris le dessus. J'imagine que son père y est pour quelque chose.

Un immense soulagement s'ensuit. Pas seulement pour moi, mais pour toute l'équipe.

En avril, Karl me confie que Baptiste l'a rappelé et regrette ce qu'il lui a dit. Karl l'invite à participer au film Chanel qu'il va tourner. Baptiste réapparaît avec sa mère. Ça deviendra une habitude. J'ose enfin dire à Karl que je ne veux plus gérer Baptiste. L'histoire de Karl et Baptiste repart de plus belle même s'il est beaucoup moins présent. On découvre qu'il a pris un manager, Sid. Puis qu'il va sortir un disque. Karl trouve ça super. Forcément.

En 2011, Baptiste participe à l'émission *Danse avec les stars*. À chaque fois qu'elle est diffusée, tout s'arrête pour que Karl soit devant un écran. Baptiste vient de moins en moins en vacances avec nous. Un jour, il passe dans la maison de Ramatuelle, il est avec sa petite amie mais la cache en ville.

Jusqu'à son dernier souffle, Karl m'a demandé de ne rien dire à Baptiste sur son état de santé. Ce dernier a pris des nouvelles mais selon nos accords, je n'ai rien lâché.

Brad, plus discret, ne demande rien mais prend sur les cartes des restaurants tout ce qu'il y a de plus cher. Peu à peu, je réalise que Baptiste est l'œil de Moscou. Tandis que Brad garde des zones d'ombre dans ce qu'il raconte à Karl. Le jeu entre Karl et Baptiste se fait à la vue de tous. Karl a le dessus mais notre entourage peut voir Baptiste à l'œuvre. Les dernières années, il était évident que Karl s'amusait de Baptiste même si au fond, je crois qu'il aimait les garçons de ce genre. Il était heureux comme ça. Et c'était le plus important à mes yeux.

J'ai eu plusieurs discussions avec Karl pour les vingt ans de la mort de Jacques de Bascher. On est tous les deux chez Sénéquier ce jour-là. Il me parle de sa folie, de sa culture. Il a reconnu être passé entre les mailles du filet à l'époque où Jacques, comme tant d'autres, est mort du sida. Il m'a souvent parlé de son côté dandy obscur et manipulateur. Il me disait qu'il l'avait beaucoup aimé, me racontait leurs quatre cents coups à droite à gauche, les virées parisiennes, les fêtes, le clan Saint Laurent et le clan Karl et tout le gratin parisien qui se battait pour en faire partie. Et puis les durs moments de sa maladie, la bouteille de cognac ou de whisky journalière qu'il buvait, l'atrocité des derniers jours de Jacques.

Quand Jake arrive dans la sphère Lagerfeld, je découvre un Anglais très beau, brun, élégant. Il a une meilleure éducation que les autres, une belle attitude. Le bagage culturel de Jake l'Européen est tout à fait différent de celui de Brad l'Américain. Je l'emmène chez Khemis en Espagne, où tout le monde l'adore. Jake garde une certaine distance avec Karl, il fera longtemps partie du paysage. Je m'entendais très bien avec lui et Karl appréciait sa présence calme et sympathique.

La dernière ligne droite

L'été 2018, on est comme d'habitude à Ramatuelle autour du 14 juillet, après le défilé de la haute couture et avant de remonter à Paris pour les shootings photos. Depuis le mois de janvier, les médecins ont maîtrisé et stoppé la progression de la maladie. Karl semble être très en forme. Mais à force d'utiliser le cathéter sur le même bras, celui-ci a beaucoup gonflé. C'est un des dommages collatéraux. Karl, dans sa pudeur, n'en dit rien.

À ce sujet, me revient une histoire. Un jour, à Biarritz, on attend tous que Karl soit prêt à partir. Patrick, le gardien, ancien militaire qui ressemble à une sorte de Popeye, est au taquet. Karl, comme d'habitude, a préparé ses affaires vers 4 ou 5 heures du matin, puis les a laissées à notre disposition à son étage avant de se recoucher un peu. Patrick, à la hâte, monte chercher les bagages mais se trompe de porte.

Il ouvre celle qui donne directement dans la salle de bains de Karl. Et là, il se retrouve face à lui, assis sur le trône, dans sa grande chemise de nuit, ses cheveux blanchis au shampoing sec défaits. D'en bas, certains matins, on aperçoit sa silhouette échevelée mais on ne dit jamais rien. Patrick redescend, sa tête en dit long sur ce qui vient de se passer. Il me fait : « Oh la la la la, tu ne sais pas ce qui m'arrive, je suis dans la mouise ! Je suis monté et je me suis trompé, j'ai ouvert la porte de la salle de bains. » Du haut de mes 25 ans, je lui donne un conseil : « Ne fais pas l'erreur d'aller t'excuser. Ne dis rien. » Évidemment, Patrick plein de peur et de culpabilité, ne m'écoute pas. À la clé, il y a son pourboire.

« Monsieur, je suis vraiment désolé pour tout à l'heure. »

Erreur. Karl le défonce.

Cet été 2018, l'œdème du bras de Karl commence à me faire flipper. Ça monte même au niveau du visage, et commence à être visible. Il a du mal à enfiler ses vestes, surtout la manche du bras droit. Lui aussi commence à s'inquiéter et me le dit. Il porte des vestes plus larges depuis un certain temps. Il est même passé aux cardigans, plus confortables que les vestes. L., ma *girlfriend*, est dans la maison avec nous à Ramatuelle. Le dimanche 13 juillet, c'est la Coupe du monde de foot et les Français sont en finale. Karl ne s'y intéresse pas vraiment, mais ça l'amuse de loin. Il a un projet de dessin à ce sujet pour le magazine allemand *Sep*. Le retour à Paris est prévu pour le mardi 15 juillet, le jour de la Coupe du monde, on dîne tous les deux vers 21 heures puis on sort chez Sénéquier vers 22 h 30-23 heures, sur le port de Saint-Tropez. Ce soir-là, je remarque que son cou a encore gonflé. Il ne peut plus fermer ses cols. Je ne l'alerte pas là-dessus, car je veux juste qu'il soit heureux. J'ai le professeur Abbou au téléphone, qui, quand je lui décris les gonflements de Karl, pense tout de suite au cathéter. Il demande qu'on vienne dès le lendemain le consulter mais lui qui d'habitude est très pessimiste, il ne m'alarme pas plus que ça. À Paris, Karl va reprendre son traitement d'immunothérapie commencé en janvier. Ce traitement a fait des miracles.

J'explique à Karl qu'il faut rentrer. Ce 15 juillet, j'avais prévu de partir au Maroc pour mon entraînement physique et faire du kitesurf. C'était ma soupape de décompression avant la longue période de vacances à Ramatuelle dans la villa 16. Karl, inquiet de me voir repousser mon voyage, propose de décaler la dépose du cathéter. Prétexte sans doute pour ne pas faire face à l'urgence médicale. Je refuse bien sûr. Abbou a tout organisé. On nous attend à la clinique Bizet à Paris. Choupette et sa camériste rentrent de leur côté. Tout se passe bien.

Je suis donc obligé d'annuler le Maroc et Karl repart travailler chez Chanel. Il me remercie d'avoir été réactif et présente ses excuses pour avoir gâché mon entraînement au Maroc. Il me suggère d'appeler Jean-François, le broker qui gère les avions privés pour demander le prix d'un aller-retour en petit avion. Karl est très facile à gérer en vol. Il est calme et ne boit que son Coca light ou son eau. Au fil du temps, j'ai fait simplifier les menus à bord des jets. Les exigences viennent de moi, mais sans extravagance. Ça se limite à du poulet et du riz. Les hôtesses râlent un peu quand elles doivent faire plus que le service minimum. Mais, même quand on prend des gros avions, nous ne sommes que deux, c'est simple à gérer. Parfois, Karl demandera un peu de caviar mais c'est très rare.

Lorsque j'appelle Jean-François, je lui dis que je veux le plus petit avion pour le Maroc et le payer moi-même même si je sais que ça va être très cher. Depuis tellement d'années, je réserve tous les avions privés pour Karl. N'importe qui d'autre en aurait profité pour prendre des commissions. J'ai toujours négocié les prix au plus bas pour les avions que Karl payait personnellement.

Parallèlement, un autre ami à moi, Mehdi, également broker aérien, qui nous a déjà dépannés d'un hélicoptère pour Karl, me renseigne sur le tarif d'un petit appareil privé. Je sais bien au fond que Karl va me payer ce vol au Maroc, c'est pourquoi ma façon de le remercier c'est de négocier serré sans qu'il n'en sache rien. En comparant les tarifs proposés par Jean-François, le broker habituel, et Mehdi, je réalise trop tard que la compagnie que l'on utilise majore les vols de près de 30 % depuis bien longtemps… Il y a quatre places dans l'avion que je vais prendre, j'appelle donc mes potes pour qu'ils m'accompagnent. Rachid « le crabe » et Amédine *aka* « le moray » (« frérot » en gitan). Sur place, on retrouve Brice Faradji que Karl a déjà croisé. J'envoie des photos à Karl qui est heureux de me voir avec mes « frères » là-bas. Il m'a déjà expliqué qu'il a tout eu, tout fait, tout vu, tous les luxes, les bagnoles,

les avions, les beaux endroits… il a déjà tout vécu. Maintenant, il a envie d'en faire profiter les gens qu'il aime, ses protégés : Brad, son fils Hudson, Baptiste et moi.

À mon retour, je constate avec soulagement que Karl a un peu dégonflé. Il est content et en forme. Il en a profité pour travailler chez Chanel. On part ensemble à Ramatuelle pour l'été. Françoise, la cat-sitter de Choupette, nous accompagne aussi mais ne reste pas sur place. Courant août, un bilan sanguin nous indique que les marqueurs du cancer remontent un peu.

Septembre repart sur les chapeaux de roue. Karl n'est bien sûr pas aussi en forme que d'habitude, mais il est bien. La prise de sang de septembre indique que les marqueurs remontent toujours, sans être alarmants. On a poursuivi l'immunothérapie plus longtemps que prévu. Les collections se sont bien passées. En octobre-novembre, les médecins nous disent qu'on va sans doute devoir envisager d'autres solutions car les taux grimpent encore. Le défilé Chanel au Metropolitan Museum de New York début décembre 2018 nous attend. Karl assure. Toujours. Mais je réalise que nous sommes tellement pris par le quotidien et sa maladie qu'on est chacun à notre façon dans le déni de son état qui empire. Les médecins commencent à me casser les pieds sérieusement. Ils tentent de m'expliquer la gravité des choses mais Karl fait en permanence diversion, il n'a pas envie de l'entendre. Quand j'insiste, il prétend que les médecins n'ont rien dit. Je bataille entre la nécessité de lui ouvrir les yeux et l'envie désespérée qu'il profite de tout, dans ce qui se dessine comme étant ses derniers moments. J'aimerais qu'il vive jusqu'à 100 ans.

Au cours de ce mois de décembre, un scan à l'hôpital américain révèle que son foie a gonflé lui aussi. Karl a désormais beaucoup de mal à monter les marches. Il va falloir refaire de la radiothérapie. On a malgré tout organisé le dîner de Noël de la marque Karl Lagerfeld à Amsterdam. Je vois bien que les médecins n'osent plus vraiment dire la vérité à Karl. Je suis comme pris entre deux feux. Jusqu'à ce que, finalement, ils lui disent que ça va mal. C'est la première fois qu'on le lui énonce clairement de but en blanc. Karl demande : « C'est foutu ? » Les médecins répondent : « Non, on a encore des cartouches. » Karl, comme si de rien n'était, me dit alors : « Tu dois partir en vacances. » En pensant à mon voyage de Noël, je cherche à ne pas affronter le réel qui se dessine. Je dors mal depuis plusieurs mois. L'un des médecins de Karl dit qu'on peut attendre un peu, l'autre non. Karl tranche. Il veut laisser passer les fêtes de fin d'année, être tranquille et ajoute, pour moi : « J'ai envie que tu partes en vacances, que tu ne penses pas à ça et que tu reviennes en forme en janvier. » Pour les professeurs Abbou et Védrine, reporter de dix jours ne changera plus rien désormais.

Je pars d'abord à Saint-Martin chez mon ami Richard Virenque et sa femme Marie-Laure. J'adore leur petit garçon Eden. Tous les examens de sang que je fais faire à Karl sont toujours restés confidentiels entre lui, les médecins, une personne d'un labo à Neuilly et moi. J'avais réussi à mettre en place un système à l'hôpital américain pour qu'il n'y ait jamais de fuite. Lorsque j'arrive à Saint-Martin, on me transmet donc des résultats d'analyses qui ne sont pas bons. Il n'y a que moi qui les communique à Karl. Chaque fois, cette épée de Damoclès me pèse un peu plus. Je suis anéanti. Notre relation est devenue celle d'un père et d'un fils. J'en suis tellement malade que ça se répercute sur mon entourage proche. Aujourd'hui, je regrette mes réactions injustes envers eux. L., ma *girlfriend*, a beaucoup encaissé. Richard Virenque me soutient. Je le préviens : « Ces vacances ne vont pas être les mêmes. Je sais que lorsque je vais rentrer à Paris, ça va être la guerre. » Au téléphone, Karl prend la nouvelle de plein fouet. Je décide d'écourter mes vacances. On échange comme d'habitude nos SMS quotidiens. Il me dit qu'il a continué de travailler tranquillement avec Virginie au studio Chanel.

À Noël, j'ai pour habitude d'offrir de la truffe blanche à Karl, grâce à un des contacts chez Fendi. Peu à peu, chacun s'est inspiré de mon idée et s'est mis à lui en offrir aussi. Il râpe de la truffe sur presque tout. Il est ravi. Le chef de permanence ce soir-là nous prépare un menu. Depuis deux, trois ans, la mère de J., mon ancienne *girlfriend*, Suédoise d'origine, nous cuisine pour Noël un plat suédois que Karl adore. Cette année-là, elle a cuisiné en plus un foie gras pour moi que je vais partager avec Karl qui en raffole et toute l'équipe de la maison : les deux chefs, Françoise, Jean-Claude et Fredo. Pendant mon absence, je donne des instructions pour qu'on lui serve du foie gras tous les jours. Depuis quelques années, il s'autorise un fond de verre de vin rouge, du Cheval Blanc. Puis le Château d'Yquem a rejoint le rituel.

Inès de la Fressange, qu'il aimait beaucoup, l'a invité à dîner pour Noël mais Karl n'avait aucune envie d'y aller. Depuis 2005, à Noël ce n'était que nous deux.

Les potes

Ils sont noirs, jaunes, arabes… pas de distinction entre nous. D'une rue à l'autre, le monde est là, à travers différentes nationalités et ethnies. À l'époque où ma mère habite Ivry, c'est la même chose.

À un moment, Peth me reprochera de ne plus avoir de temps pour lui. Il est comme ça quand il aime ses potes.

Saïd, le frère de Saber, est devenu policier. On ne se parle plus trop.

À quoi ça sert de rêver à ras d'homme ? Pour moi un rêve ça sert à aller plus haut.

La bande d'avant Karl Lagerfeld

Willy et Diego sont des Antillais, moitié Guadeloupéens, moitié Martiniquais. Quand on emménage à Gonesse, en arrivant d'Aubervilliers, au square des Roses, ce sont les deux premiers que je rencontre. On a 7 ans. On est en 1982. Ils vont me faire faire mon premier voyage aux Antilles quand j'ai 12 ans. Là-bas, on fait les fous.

Willy est né le 14 février, la même année que moi. Il a fait plusieurs fois de la prison. La première fois, mon beau-père l'aide et fait les papiers pour l'en sortir plus vite. Avec le recul, je me dis qu'on est les mêmes, on a le même parcours mais lui va prendre la mauvaise décision, moi pas. On arrête l'école en même temps et on passe nos permis de conduire au même moment. Je fais l'armée, lui pas. Le destin change.

On fume notre première cigarette vers 13 ans, une menthol à la patinoire de Garges-lès-Gonesse. Je rentre après l'heure et je pue la clope : mon beau-père m'envoie une énorme torgnole. K.-O., je ne me réveille que le lendemain. À cette époque, on a le droit de sortir tous les vendredis. On va à la patinoire. On n'est pas sur nos terres, mais on kiffe. On rate systématiquement le dernier RER donc on rentre à pied, en suivant les rails puis la route jusque chez nous. On a acheté un paquet de Marlboro qu'on a planqué dans les buissons en bas de chez nous jusqu'à ce que Willy oublie de le cacher et rentre chez lui avec. Son père lui met une rouste sévère. Willy cafte en disant que c'est à moi. Quand je sonne à son Interphone, le père de Willy me dit de monter, il tient son fils par le col, me demande si c'est à moi en brandissant le paquet de cigarettes. Il me fait tellement flipper que je dis non. Il colle alors une tarte à son fils et me referme la porte au nez.

Les jours où on a tous 10 francs, on va gare du Nord, en fraudant dans le RER D, pour manger une merguez-frites dans la rue qui fait face à la gare.

Diego a deux ans de plus que nous. Ma mère sympathise avec leurs parents, leur père est chauffeur-livreur le jour et policier la nuit. Leur mère s'occupe pas mal de moi pendant que la mienne travaille.

Peth, Saïd et Saber et leur petit frère Momo, des Tunisiens, c'est la famille. Ils vont habiter aussi La Croix-des-Ormes. Avec Willy, on est toujours fourrés avec eux. On passe d'un jardin à l'autre, d'un appartement à l'autre… Leurs parents, discrets, représentent la première génération d'immigrés, ils ont une dizaine d'enfants dont quatre garçons seulement. Saïd a le même âge que nous. Saber et Ewan sont plus jeunes, on ne les considère pas du tout, du haut de nos 13 ans. Leur père ne rigole pas : les enfants vont tous aller jusqu'en terminale et passeront le bac. Saïd est celui que la bande a perdu de vue.

Saber, en revanche, se rapproche de nous. C'est avec lui qu'on fera les quatre cents coups en Espagne. On fera aussi de la boxe ensemble à Goussainville. Il est venu à Ramatuelle. Il est avitailleur à l'aéroport de Roissy-Charles-de-Gaulle. Il est marié, a deux enfants, un cœur gros comme une maison. Tous ceux qui ont croisé Saber ont été sous le charme de sa douceur apaisante.

Peth, en fait Anousak phonétiquement de son vrai prénom. Si je ne lui parle pas pendant quelques semaines, il est très fâché contre moi. C'est sa façon d'aimer les gens. Il a un caractère bien tranché. Après Willy et Diego, c'est l'autre pilier de ma bande. Il arrête ses études un peu plus tard que moi et travaillera d'abord au même endroit que son père, à l'usine Peugeot PSA d'Aulnay.

On retrouve parfois ses cousins laotiens à Orly-Parc. Il sort avec la sœur de ma petite amie de l'époque. La salle de sport devient notre point de ralliement : 80 % de mes potes se mettent à la muscu alors que je me mets à la boxe. La vingtaine aplanit les différences d'âge. Je l'emmène souvent au bord de la mer, contrairement à mes potes africains, antillais, tunisiens qui retournent chez eux de temps en temps. Pour Peth, retourner chez lui n'est pas évident. Faire la route ensemble pour mes livraisons, l'emmener en Espagne avec Khemis, lui faire voir du paysage, c'est plus facile. Sur le chemin, on s'arrête dans le Berry chez ma mère. Elle le connaît depuis tout petit. Les Berrichons pur jus étaient éberlués de voir un Laotien et un Arabe débarquer ensemble. Il viendra également passer des vacances à Ramatuelle.

Fredo et Ewan habitent eux aussi à La Croix-des-Ormes. Les seuls Français de souche de la bande. Leur mère travaille à l'hôpital de Gonesse et leur père est peintre-décorateur. Par une coïncidence extraordinaire, il travaillera aux décors de la villa de Louveciennes de Karl. Nos parents ne sont pas spécialement proches, ce qui ne nous empêche pas de l'être.

Vers 2001, Fredo et Evann vont partir vivre à Montpellier. Ce dernier sera aide-soignant dans les Ehpad. C'est notre héros. Le seul qui a un vrai métier parmi nous.

En 2002, Fredo fête ses 27 ans. Je le fais venir à Saint-Trop chez moi, il m'assiste l'été et hors saison lorsqu'on y est avec Karl qui lui reconnaissait une bonne énergie. Karl a toujours été touché que j'aide mes potes.

Akim a fait plusieurs séjours en prison et nous sommes encore en contact. Il devrait sortir bientôt. Je le rencontre dans la période Le Thillay et Goussainville à travers des amis. Lui aussi fait du motocross. On s'entraîne ensemble. Il est mon pourvoyeur de motos quand je n'en ai pas les moyens. Mon club de boxe est dans sa cité. On partage aussi les poursuites avec les keufs à moto. Il sait qu'il peut compter sur moi.

Il y a les frères portugais Polo et Aldino et puis José dont la femme, Françoise, travaillera comme femme de ménage puis comme nounou de Choupette, le chat de Karl. Polo a le même âge que nous ou à peu près et son grand frère Aldino, quatre ans de plus. Quand Aldino a 18 ans, il a déjà une voiture. Il n'habite pas loin de la place de la mairie où on se retrouve tous. Entre nous, on dit qu'on « est au banc », soit celui de la mairie, soit celui de la Croix. C'est notre Colette à nous sans qu'il n'y ait rien à vendre. Chez eux, tout le monde travaille : maçonnerie, carrosserie, ils savent tout faire. Quand on a 16 ans avec les potes, on se réunit sur la place. Aldino, de temps en temps, en choisit deux ou trois parmi nous, les plus jeunes, et nous emmène à Paris en voiture. On va rue Saint-Denis pour regarder les putes. On s'arrête porte de la Chapelle ou aux Crêpes de Montmartre, à l'angle de la rue Montmartre, point de rassemblement des mecs de banlieue, pas loin du Palace et du Rex. On ira régulièrement, sous l'autorité d'Aldino qui n'a pas froid aux yeux. C'est une masse, pas très grand, mais puissant. D'un crochet, il envoie des mecs sur la lune, pour nous, c'est Bud Spencer. Il ressemble à un patriarche, un chef. C'est aussi lui qui nous emmènera à la Foire du trône où le punching-ball est notre point de mire. On dépense nos quelques francs pour taper dedans.

Christophe dit Merguez ou Totof, Portugais, est un peu plus vieux que nous. Il a le même âge que Diego. C'est un des premiers avec qui on va traîner car il a lui aussi un argument essentiel : une voiture. Il va se mettre au sport. Avec lui, je fais beaucoup de course à pied et de la muscu.

Avec Totof, on a commencé avec les Mobylette. Quand j'ai 14 ans, il en a 16. Plus tard, on fera beaucoup de VTT et on partira en vacances ensemble. C'est avec lui que je fais mes débuts de Jet Ski. Il a l'habitude de partir à Cavalaire. Il viendra à Ramatuelle. Marié très jeune, il habite toujours à Gonesse, avec sa femme. Il a une vie stable. Totof travaille dans l'événementiel pour une boîte qui interviendra sur certains événements Chanel.

André, Antoine, Gaspard (boss de l'agence de mannequins Next à New York, mon agent), Éric et Franci, ce sont les cinq frères. Ils habitent au même endroit que Fredo, Ewan, Peth et Saïd, dans un ensemble qui mêle immeubles et pavillons, à La Croix-des-Ormes, à une rue de chez moi. Franci a le même âge que nous, ses frères sont plus grands. Éric et Antoine sont déjà majeurs quand on a 13-14 ans. Gaspard va organiser des défilés de mode avec les copines du coin. André aura une boutique dans Gonesse.

Depuis que Franci est parti vivre en Guyane, je suis devenu plus proche de Gaspard qui connaît ma mère. Il y a très longtemps, il a travaillé pour Carine Roitfeld, bien avant mes connexions dans la mode. C'est lui qui le premier a eu quelques contacts dans la nuit parisienne. Fin des années 1990, il est parti vivre à New York. Nous sommes toujours très proches. Il est le premier à me pousser à faire des projets dans la mode et à me soutenir. Il a surtout été le premier à y croire et à m'en parler.

Éric, dit Rico, est le fils d'une mère espagnole et d'un père métis antillais. Son métissage fait qu'il a l'air d'un Arabe ou d'un Noir, on ne sait jamais. Il est un peu plus vieux que moi et il fait du basket et du karaté mais aussi beaucoup de motocross. On se rapproche vers 18-20 ans. On est partis en vacances ensemble à Saint-Cyprien et en Espagne, du coup il connaît très bien Khemis et ma mère. Le 2 janvier 1999, c'est lui qui a rendez-vous avec Hubert Boukobza pour devenir son chauffeur, on est partis ensemble de Gonesse le matin même pour Paris. Ce même jour, un autre rendez-vous allait décider de mon avenir avec

Karl. On a attrapé un sandwich place Victor-Hugo et je l'ai accompagné chez Boukobza.

C'est aussi Rico qui me fait découvrir Les Bains, qui sont encore dans leurs grandes années. À l'époque, la boîte est très bien fréquentée. Rico a un bagout hallucinant, il réussirait à vendre des chewing-gums à un édenté. C'est un personnage atypique. Je sais que s'il m'arrive quoi que ce soit, il ferait tout pour moi.

Rémi, fils de parents divorcés, habite avec son beau-père qui possède les Moulins Lamy. Socialement, il est un peu au-dessus de nous et comme il est aussi plus âgé que moi, je ne traîne pas trop avec lui et sa bande. Ils ont déjà des bécanes, trouvées à droite à gauche. Mon demi-frère Lionel, qui a sept ans de plus que moi, fait déjà du motocross, c'est lui qui m'initie. C'est donc plutôt à partir de mes 20 ans que je vais commencer à fréquenter Rémi ; il est devenu pâtissier-boulanger et s'installe à Paris entre Ternes et Champerret, boulevard Gouvion-Saint-Cyr. Au fil du temps, il va devenir l'un de mes meilleurs amis. En 2003, c'est chez lui que je vais après le décès de ma mère. Il s'habille alors chez Dior Homme et roule en

Porsche, on a le même train de vie. Après juin 2009, nous nous brouillons, je ne lui reparle qu'en 2015. Je suis alors moi aussi dans une phase difficile de ma vie à cause des acouphènes et du manque de sommeil. Avec le temps, on est redevenus les amis qu'on était.

Rodolphe, qu'on nomme aussi Gaston, je l'ai rencontré à l'armée où on s'appelle tous par nos noms de famille. En octobre 1993, j'ai 18 ans et j'ai devancé l'appel à l'armée. Pendant « les 3 jours » à Blois, je demande à faire un VSL (volontaire service long) outre-mer. Je suis déclaré apte et j'explique que j'aimerais partir le plus rapidement possible. Deux ou trois semaines plus tard, une lettre me prévient que je dois attendre un an. Je refais une demande pour être intégré immédiatement ailleurs. Je serai donc incorporé le 1er avril 1994 à Biscarosse dans le centre d'essai des Landes, alors que tous les autres sont envoyés dans les bases de l'Est, près de l'Allemagne. Le trajet n'est pas direct : un TGV Paris-Bordeaux puis un TER Bordeaux-Ychoux où un bus doit me conduire au centre. Sur le quai, je ne vois pas un seul mec qui ressemble à un futur militaire sauf dans mon wagon où j'avise un petit gars qui dit aller lui aussi à Biscarosse pour son premier jour d'incorporation. À Ychoux, il est 21 h 30, personne ne nous attend. Il fait nuit, il se met à pleuvoir, la ville est déserte. La gare ferme. En relisant les papiers qu'on nous a envoyés, on réalise que le ramassage militaire ne se fera qu'au matin. Je dis au gars de ne pas s'inquiéter, je force la porte verrouillée de la gare pour qu'on puisse y dormir. Grâce aux distributeurs automatiques, on achète chips et boissons pour notre dîner. On dort sur les rangées de chaises, de minuit à 4 h 30 car le premier train est à 5 heures. À l'aube, on sort se planquer dehors, on est morts de froid. Les cars de l'armée arrivent enfin pour ramasser ceux qui vont débarquer, en provenance de Paris, vers 7 heures du matin. On regagne la gare l'air de rien, pour rejoindre les nouvelles recrues et monter dans les cars. À côté de moi, s'assied un grand Renoi, Gaston. Dans les baraques d'incorporation, Gaston va par hasard finir dans ma chambrée. Il arrive directement des Antilles. La section BPS, qui s'occupe de la sécurité du centre des Landes, personne ne veut y aller car ça ne rigole pas du tout.

Ceux à qui il reste cent jours à faire à l'armée font subir un bizutage aux nouveaux en les rackettant. Gaston et moi on ne se laisse pas faire. Évidemment, on se fait envoyer à la BPS où ils aiment les teigneux et les sportifs. Dans cette section, on rencontre Kenza, un balèze hypermusclé venant de Centrafrique. Notre section inspire le respect aux autres. Dans le groupe, je suis le seul Blanc.

Avec Gaston, on partage un an de service. Et puis, après une permission, il n'est pas revenu. On devait rentrer ensemble. Au téléphone, je lui dis qu'il doit regagner Biscarosse, je le préviens qu'il va faire du trou. Il est rentré une semaine après. Il raconte un tel plan à l'officier qu'il n'est pas puni, et mieux, il est augmenté.

Un jour de permission, je remonte à Gonesse. Il y a une fête à Goussainville chez les Yougos, du côté du père d'A., ma petite amie de l'époque. Les Yougos adorent faire la fête, je fais alors comme eux. Un des amis d'A. a une bécane 125cc qu'il me prête ce soir-là ; ça tombe bien, j'ai envie de m'amuser. Je pars sans casque et traverse les cités, je veux aller voir mes potes à Gonesse mais ils ne sont pas là. À Orgemont, personne non plus. Je repars à Goussainville en longeant Le Thillay et tombe sur une voiture banalisée de la BAC – brigade anti-criminalité – qui me suit. Puis s'ajoute une voiture de flics. Ils mettent la sirène à fond et le gyrophare. Ça part en course-poursuite. Je roule comme un dingue, mais la bécane est en train de me lâcher, plus d'essence. J'arrive en roue libre sur un trottoir puis plus rien. Derrière moi les deux voitures de flics continuent tout droit à fond. Ils tournent dans le quartier entre la cité des Grandes-Bornes et la cité Ampère. Ils me cherchent. Au bout d'un certain temps, les rues sont tellement calmes que je décide de rejoindre mes amis Yougos en poussant la moto. Le mec qui m'a prêté la bécane me demande ce qui s'est passé. Je lui raconte la course-poursuite et lui conseille de planquer la bécane. Grâce à un fond de réservoir le mec redémarre, fait 500 mètres avant de retomber en panne. Les flics, qui n'attendaient que ça, lui tombent dessus. Le pauvre idiot déballe tout. Les voitures de la BAC où il y a un keuf que je connais et l'autre voiture arrivent chez les Yougos qui ne veulent pas les laisser rentrer. Je commence à me taper avec les flics et finis menotté, en garde à vue à Goussainville, pour délit de fuite, refus d'obtempérer et altercation. L'alcootest fait au commissariat de Goussainville n'est pas une catastrophe, mais je sais déjà que ça va être ma fête quand je vais rentrer à Biscarosse. Je suis transféré au commissariat à Gonesse où je purge ma garde à vue pendant vingt-quatre heures. Ma mère passe me voir juste pour me dire que ça va me faire du bien.

De retour de soixante-douze heures de permission, je rentre dans les délais mais je ne sais pas encore que l'armée est prévenue directement en cas d'infraction pendant les permissions. J'enchaîne avec une petite semaine au trou et suis privé de sortie pendant deux mois.

Après l'armée, je m'établis à mon compte en tant qu'artisan-louageur. Jérôme dit Dédé fait la même chose et va lui aussi travailler avec la CST. On est tous fous de motocross et on a l'habitude de faire beaucoup de route dans nos véhicules utilitaires C15. C'est lui qui me présente Arnaud, qui travaille avec son père dans une brigade de la police spécialisée dans le contrôle des chauffeurs de taxi. Il rejoindra la CST plus tard. Je rencontre également Romain, qui est le roi de la magouille. Il sera le dernier à se mettre à son compte en tant que chauffeur-livreur et travaillera aussi pour la CST lorsque je passerai à plein-temps pour Karl. Il rejoindra l'équipe vouée à Karl chez CST, supervisée par mon oncle Jean-Claude. Comme il a un camion plus grand, il est sollicité pour les shootings. Il gérera ensuite le stockage des meubles et objets de Karl qui l'aimait beaucoup. Lorsqu'il a pris du poids, Karl le surnommait « le père dodu » ; il est resté à mes côtés jusqu'aux derniers instants de Karl.

Dédé travaille avec moi et mes grands frères. En pleine Coupe du monde de 1998, on va déménager la villa La Vigie que quitte Karl, en bordure de Monaco. Là, il nous incite à aller dans sa cabane nominative louée à l'année au Monte-Carlo Beach Club pour profiter de la piscine. Dès qu'on peut, on y file. Je réalise combien ce lieu mythique comptera pour moi, car les fameuses photos de Newton que j'admirerai plus tard sont prises ici. Sur le plongeoir de la piscine, on frime. On détonne par rapport au public. J'apostrophe Dédé tout fort, je hurle, je plonge, je cours, je saute. Et ainsi de suite dix fois. Quand vient le tour de Dédé, il est bloqué sur le plongeoir de 15 mètres de haut, sans oser se jeter à l'eau. Une vieille Italienne dans la piscine me dit : « *Ha paura.* » Je lui réponds dans un mélange d'espagnol et d'italien : « Oui, *mucho paura* ! » Dédé a une préférence qui nous intrigue, il adore les « vieilles », c'est-à-dire celles qui ont quinze ans de plus que lui.

Olivier a deux ans de moins que moi et est Antillais. On s'est rencontrés à la salle Accrosport en 1995. D'autres se réunissent dans les bars, nous pas. Le sport nous lie beaucoup. Lui fait de la muscu. Avec son mètre quatre-vingt-treize, c'est un géant doux et apaisé. Quand je me mets à travailler et que j'ai une voiture, je l'emmène parfois avec moi sur les chantiers où je vais, en renfort manutention. Je le paye grâce à ma société d'artisan-louageur. On fait beaucoup de route ensemble, en France et dans toute l'Europe. On ne dort pas à l'hôtel mais dans la voiture. Quand on installe la maison de Karl à Biarritz, il est souvent là. En juin 1998, on ira ensemble chez Ira de Fürstenberg, pour livrer une de ses sculptures à Marbella. Karl n'aimait pas du tout cette mondaine méchante. Olivier sera un de mes potes que Karl va voir le plus sur ses chantiers où je l'emmène.

En 1995, j'ai 20 ans quand William s'inscrit à la salle de sport de Gonesse ; il commence la boxe full-contact en même temps que moi. Lui a 17 ans et est toujours étudiant. C'est avec lui que je boxe le plus. On est déchaînés. On se donne à fond, on y va vraiment. Quand je prends la route après l'entraînement – je suis chauffeur-livreur –, je l'emmène avec moi pendant son temps libre. On fait quelques jobs ensemble. Il rejoint la bande, Peth, Saber et les autres… Plus tard, il deviendra champion de Paris en boxe anglaise amateur, puis coach pour des clients privés.

Khalid le coach, je l'ai lui aussi rencontré dans les années 2000 dans la salle Accrosport. J'ai 25 ans, je fais alors de la boxe depuis cinq ans. Khalid est un ancien champion de full-contact. C'est un phénomène. Quand il sort le soir, il est fou fou. Avec tous mes copains, on a toujours galéré pour rentrer en boîte de nuit. Dès que les portes m'ont été ouvertes par mon réseau, je les ai tout de suite invités à partager ça avec moi. Un soir au VIP à Paris, Khalid a trop fait la fête. Je l'ai ramené dans la Rolls de Karl à Bondy en galérant pour trouver son adresse et en priant pour que personne ne soit malade sur les sièges. Impossible de l'abandonner. Dans la voiture, Lionel et Fred sont assez atteints eux aussi. Ce serait le comble que le jour où je bois alors que ça ne m'arrive jamais, je me fasse serrer par les flics.

En tant que coach, il est très sérieux. C'est lui qui a organisé le match de Nantes, ou celui de Goussainville contre le champion du monde qui me colle une dérouillée. Il m'a envoyé au casse-pipe en me donnant une grande confiance en moi. Depuis 2006, il m'entraîne dans un club à Goussainville.

Valérie Gautier, Valou, a toujours été ma grande sœur, comme pour Willy et Diego. Ados, on la trouvait très belle, c'est la sœur de Karine avec qui je sortais. Leur mère m'adorait. Valou sortait avec un basketteur connu. Elle travaillera chez Air France comme hôtesse et connaît bien le milieu de la musique et du sport. Elle est très spirituelle, intuitive. Elle nous survole mais elle ne nous snobe pas, on restera toujours en contact sans vraiment se voir pendant dix ans. Au moment où je ne vais pas bien, elle propose que nous nous revoyions. Elle est au courant de ma vie avec Karl, mais de loin. Elle a des « intuitions » comme ça. La nuit, elle communique avec des « maîtres ». Je ne comprends pas tout de son monde spirituel et assez vite, je suis réfractaire à ses visions. Je suis déjà entre les mains de deux praticiens dont une « kinésiologue » qui me parle de mes vies antérieures.

Une montre rouge

Onze ans plus tôt, le 10 septembre 2007, j'ai fait un cadeau à Karl pour son anniversaire. Voilà deux ans que nous passions les vacances à Ramatuelle et que je vivais un conte de fées professionnel à ses côtés. Ma vie avait changé grâce à lui et je voulais lui faire un beau cadeau. Il m'avait parlé d'une montre Cartier très fine. Le montant était élevé pour moi. J'ai proposé à Brad et Jake de participer. Comme ils étaient là avec nous en vacances à bénéficier de toutes les largesses de Karl, cela me paraissait normal. Les deux ont bégayé une non-réponse. Je me suis énervé en leur mettant les points sur les *i*. Ils ont fini par accepter. Quand on lui a offert cette montre, j'ai vu que Karl était très heureux.

En mai 2018, Karl a repéré une autre montre dans les magazines. On annonçait en avant-première la sortie de cette montre Hublot en céramique rouge. J'appelle alors Karine, l'assistante de Bernard Arnault (la marque Hublot appartient à LVMH), pour demander s'il serait possible qu'on me fasse un prix. Immédiatement, elle suggère que Bernard Arnault l'offre à Karl en personne. Il a toujours été très généreux avec Karl, mais je l'arrête. Je lui explique

que je veux faire moi-même ce cadeau. La montre n'est pas encore produite, mais elle me promet que le premier exemplaire sera pour lui. Même avec un prix, la montre est très chère, mais je suis heureux de piocher dans mes économies pour ça. Le vendeur n'en revient pas que je vienne seul, il pensait que Karl allait venir en personne l'acheter. Le soir, rue des Saints-Pères, pour notre dîner, je place l'écrin sur la table. Karl n'aime pas ouvrir les boîtes. Je commence à déballer le cadeau pour lui, mais le laisse finir. Lorsqu'il découvre la montre, il s'étonne et me demande : « Pourquoi tu as fait ça ? » Il m'embrasse, vraiment content. Il ne l'a plus jamais quittée et n'a pas pu s'empêcher par la suite de dire que c'était moi qui lui avais offert cette montre. Il a été incinéré avec.

Quelque temps avant cet épisode, il m'avait offert sa montre fétiche Audemars Piguet qu'il portait tout le temps. Au mois de janvier 2018, je l'ai donnée à réparer parce qu'elle retardait tout le temps. Après la disparition de Karl en 2019, je voulais absolument récupérer ma montre, ce souvenir si précieux de nos moments ensemble, mais Audemars Piguet a confisqué cette montre pour d'obscures raisons et refuse de me la rendre.

Tous les soirs, je prends la tension de Karl puis je fais un rapport journalier à ses deux médecins. Ces derniers m'ont dit avec une grande gentillesse combien Karl a eu la chance d'avoir quelqu'un comme moi, qui s'occupait de lui de cette façon.

En novembre 2018, on pense qu'on a encore des solutions pour faire face à la maladie.

À mon retour de vacances, le 5 janvier 2019, on a rendez-vous à 13 heures à l'hôpital américain. La veille, Karl m'a envoyé un SMS particulier : « Je suis content que tu sois là. J'ai hâte que tu sois là », chose qu'il ne m'avait jamais écrite. Quand je le retrouve, il n'est pas très en forme. Il a mal au dos, marche et respire mal. À l'hôpital : injection et scanner. Les médecins laissent entrevoir un espoir à travers deux nouveaux protocoles. Je m'accroche. Depuis peu, ses textos sont devenus plus brefs et il ne répond pas toujours. Les photos de Choupette remplacent souvent les mots.

Le scanner révèle qu'il a plein d'eau dans les poumons. Il faut poser un drain. Karl doit rester à l'hôpital. Nous pensons tous les deux que la méthode de radiothérapie ultra-ciblée déjà pratiquée peut soigner son problème de dos. Le soir de mon retour de Saint-Barth, je m'installe pour la nuit dans la chambre attenante à sa suite médicalisée à l'hôpital américain. Ne pas le lâcher. Ça va aller.

Quarante-huit heures plus tard, on est de retour chez lui. Il dîne quai Voltaire et il me dit que ce qui lui ferait vraiment plaisir, c'est du foie gras de la maman de J. Je l'appelle, et sans tout lui expliquer, lui demande d'en refaire. À part ça, il ne mange plus grand-chose.

Le défilé Chanel haute couture de janvier approche. On fait des allers-retours quotidiens avec le centre de radiothérapie. On ne veut pas s'en rendre compte mais la maladie a pris le pouvoir sur tout son corps. Même si la radiothérapie est extrêmement ciblée, les intestins et le système digestif en prennent un coup. La veille du défilé, Karl travaille chez Chanel jusqu'à la dernière minute. Il est encore tellement convaincu qu'il ira au Grand Palais là où défile la collection Chanel en deux shows, à 10 heures et midi, qu'il m'a demandé de le réveiller tôt le lendemain. Le matin du jour J, il m'appelle, il doit renoncer. Épuisé, il ne pourra pas sortir de chez lui. Son corps se vide. J'appelle chez Chanel pour prévenir qu'il ne viendra pas. Je l'attends malgré tout en bas de l'immeuble, quai Voltaire, jusqu'au dernier moment, espérant qu'il pourra aller au second défilé. Karl ne sortira pas. C'est la première fois que cela lui arrive, en plus de trente ans de carrière chez Chanel. Sous la verrière du Grand Palais, une annonce faite au micro précise sans entrer dans les détails que Karl ne sortira pas saluer au final.

Clients et journalistes sont stupéfaits.

Le lendemain, contre toute attente, il retourne chez Chanel travailler avec Virginie. On a même un shooting photo après ça. Dans la presse, dans tout Paris, au téléphone et ailleurs, les rumeurs ont pris feu. Chez Chanel, on ne panique pas.

Un mois plus tard, Karl doit sortir en compagnie de Silvia Fendi, à la fin du défilé italien à Milan, un rituel depuis des années. Exceptionnellement, les équipes de Fendi vont se déplacer à Paris cette fois-ci, au Studio 7L, pour travailler sur le défilé de Milan prévu pour février. Tout le monde s'adapte.

Avec Bruno Pavlovsky, on a décidé de renforcer le service de sécurité devant la maison de Karl, car les paparazzis commencent à apparaître. L'un d'eux, que je connais bien et qui est un ami, me prévient : « Je n'y serai pas, me dit-il, mais prépare-toi, ils vont arriver. »

Désormais, j'aide Karl à se déplacer, en le hissant parfois sur mon épaule. Il lui est devenu très difficile de marcher. Une douleur constante lui transperce le dos. Lui et moi voulons que personne ne voie ça.

Le 14 février 2019

L'état de Karl se dégrade vite. Il a du mal à respirer et m'appelle parfois plusieurs fois par nuit. Je sors de chez moi, rue de Lille, pour aller le voir quai Voltaire. Je lui masse le dos au Saintol et l'aide à sa toilette. C'est L. qui m'y pousse. J'ai peur, mais elle a raison. Je n'ai jamais eu d'intimité avec mes parents. Je ne sais pas comment on fait ce genre de choses. Nos deux pudeurs et mon mutisme naturel font qu'on ne se parle pas vraiment. On échange sur nos chats. Karl m'a offert un Savannah que j'ai appelé Blue. Celui d'avant, Minou, un gouttière que j'avais depuis 2007, avait fini par être à table avec Karl.

Je passe toutes mes journées au côté de Karl. Ça va très mal, mais on a encore de l'espoir. La radiothérapie le lamine. Il est si fatigué. Il perd l'appétit.

Le jeudi 14 février, j'appelle les médecins car je trouve que Karl a beaucoup de mal à respirer, plus que d'habitude. Je m'installe à l'hôpital avec lui. Je poste un mec de la sécu en permanence devant la porte de sa suite. Karl ne répond plus trop aux messages. Il me demande toujours de ne pas en parler. Seul Bruno Pavlovsky, président des activités mode de Chanel, connaît la gravité de la situation. Karl veut savoir quand on va sortir, espérant que ce sera pour ce week-end. Il a du mal à parler à cause de son souffle court. Le 18 février, un avion est prévu pour aller à Rome où il doit travailler sur le défilé Fendi qui se tiendra à Milan quelques jours plus tard. Faute de pouvoir s'exprimer clairement, il me demande de faire passer les messages à ses équipes italiennes. Je tends bloc-notes, papier à dessin et crayon, je tape sur l'iPhone, enregistre ses directives, transmets, traduis. Il corrige les looks par photos interposées. Silvia Fendi est une des dernières personnes à qui il parle. Il n'a pas perdu son sens de l'humour. Je note qu'il a les mains un peu froides. Son déplacement à Milan est impossible. Et il a cette phrase qui montre combien son goût du travail acharné passe avant tout : « Tu leur diras, je n'ai pas fait exprès. »

Quand je lui dis qu'il est mieux qu'hier il me répond : « Moins bien que demain. » Et ajoute : « J'en ai marre de la non-productivité. »

Un médecin me fait comprendre qu'il n'est pas du tout confiant face à ce qui se passe. Il veut descendre Karl en réanimation pour pouvoir examiner ses poumons qui sont pleins d'eau. Je sens l'anesthésiste tendu. Karl me demande un papier pour écrire quelque chose.

Je ne peux pas rentrer dans la salle de réveil, mais je vois Karl de loin. Le médecin me regarde droit dans les yeux : « Je pense que ça ne durera pas la nuit. Il y a quelque chose qui ne va pas. Je n'ai pas le droit de te faire rentrer, mais il te demande sans cesse. » Et puis, il ajoute : « Allez, rentre va. » Je m'approche de Karl, je suis dévasté. Karl me dit : « Ça ne va pas, ça me fait trop mal. Soulève-moi, soulage-moi. » Lui qui ne se plaint jamais. Dans la salle, il fait très froid. Il est gelé. On finit par le sortir de là. On l'emmène dans une autre chambre où il va rester en observation permanente car on doit à nouveau drainer les poumons. Françoise, qui s'occupe de Choupette, laissée dans la suite de Karl, est là aussi. On a tout fait pour cacher le chat au personnel médical.

Il est 8 heures du soir. Laurent, un de mes meilleurs potes qui habite Neuilly, m'appelle et propose de passer m'apporter quelque chose à manger. Je ne lui dis pas tout. Je téléphone à Bruno Pavlovsky. Je lui dis que je sens que c'est très chaud. Bruno me rassure. Ce soir-là, je dors seul dans mon lit, attenant à la suite. Karl est dans une chambre beaucoup plus médicalisée. Une infirmière lui a enlevé sa bague car ses doigts gonflent beaucoup. Je la range dans ses affaires. J'entends Karl dire : « C'est quand même con d'avoir trois Rolls et de finir dans une chambre pourrie comme ça. » Ce seront ses derniers mots.

Je demande à Françoise de rester auprès de lui pendant que je descends manger quelque chose avec Laurent. Le mec de la sécu, Seko, un jeune colosse, garde toujours la porte. De retour dans la chambre, je libère Françoise et lui dis de rentrer chez elle. Karl somnole. Je reste à ses côtés jusque vers 1 heure du matin avant d'aller dormir quelques heures dans la suite, dévoré d'angoisse. Vers 6 heures du matin, je suis de retour à son chevet. Seko n'a pas bougé de la nuit. Il m'informe avoir vu un

médecin entrer dans la chambre et parler très fort à Karl. Je rentre, dis bonjour à Karl qui ne répond pas. Je lui touche la main, il ne réagit pas. Il respire mais a les yeux fermés. Le professeur Khayat passe vers 7 h 30. Il fait une moue : « Là, c'est très mauvais. » Je m'effondre en larmes. Je lui demande ce qu'on peut faire. Khayat décide de faire transférer Karl dans sa suite. J'appelle Bruno, Virginie et Éric en leur disant de venir tout de suite. Je téléphone à L. Virginie et Éric nous rejoignent très vite. Je reste avec Karl tout le temps. Je bous sur place. À un moment, j'entends une respiration saccadée, je laisse Virginie et Éric dans la pièce à côté. Je demande à l'infirmière de venir sans sortir de la chambre. Elle me dit de prendre la main de Karl. « Pourquoi, il va mourir ?
— Prenez-lui la main. C'est tout. » Et c'est fini. Là, devant moi, Karl, c'est fini.

Je sors, et j'annonce à Virginie et Éric : « C'est terminé. »

Jumanji

À la villa de Biarritz, Karl a bien sûr acheté en douze exemplaires ce qui se fait de mieux en matière de nouvel écran plasma et de système de son hypersophistiqué. Mais personne n'est capable de les mettre en route. En 1998, le DVD de *Jumanji* avec Robin Williams vient de sortir. Je propose d'allumer l'écran. Le DVD s'enclenche sur une scène où éléphants et rhinocéros déboulent dans la maison. Le son est tellement fort qu'on sent les murs trembler, les animaux semblent sortir de l'écran. Tout le monde a sursauté. Karl est hilare. C'était le gosse en lui qui riait. Tout le monde était scotché.

Les filles de ma vie

Les filles c'est ma drogue. Depuis très tôt. J'aime qu'elles m'admirent et j'aime leur faire du bien.

À Aubervilliers, au square des Roses, à 7 ans, je vénère une fille qui habite dans la tour d'à côté. Elle a 9 ans, je crois. On s'embrasse. Ce bisou volé m'est apparu par la suite comme un échec. Je n'ai jamais revu la fille. Ensuite, je me suis vengé en quelque sorte. Avec toutes.

Un jour, alors qu'on déjeune chez des amis de mes parents à Ivry pas loin de chez ma grand-mère maternelle, avec leur fille on joue au docteur ; elle a le même âge que moi, 8 ans. Le père de la petite nous surprend et nous file une tarte à tous les deux. Ma mère rit, mon beau-père est fier de moi.

À part mes cousines que je vois peu, il y a très peu de présence féminine autour de moi. Les filles du quartier, elles sont chez elles ou avec leurs copines mais nous, les garçons, on ne les fréquente pas. On va les chercher dans d'autres quartiers. Quand je rencontre A. et que je découvre son milieu qui organise des boums, j'introduis immédiatement tous mes potes qui eux aussi ont envie de croquer.

Dans les petits appartements où nous vivons, il n'y a même pas la place pour recevoir une fille.

Mes parents sont libérés, ouverts d'esprit, il n'y a pas de tabou chez nous.

Au moment où je pense à ça, celle qui est dans ma vie en ce moment me dit que je suis son prince charmant. Je lui ai dit que j'ai aussi été Mr Hyde. La seule vraie femme de ma vie, c'est ma mère.

J'ai toujours été convoité par les meufs. Rico disait en riant que même au milieu d'un désert, j'en trouverais une. Ce que j'aime, c'est chasser. Je suis accro, c'est l'adrénaline qui me fait vibrer. De ma vie, je ne suis jamais allé voir un tapin, sauf une fois par défi, avec des potes en Espagne, sinon je ne l'aurais pas fait.

J'adore les femmes. Depuis mon plus jeune âge, je les aime toutes. Pour moi, elles sont toutes belles, j'ai zéro frontière.

C. et D. ont représenté les premières amours de mon adolescence entre mes 15 ans et mes 17 ans, même si j'ai commencé vraiment à courir les filles à partir de 12-13 ans.

Pendant ma seconde sixième à Villiers-le-Bel, je ne suis plus en internat, je sors avec A., mais on ne se touche pas. Franck Doyen, mon pote, un grand Black, habite dans une cité de Villiers-le-Bel et Michael Montaudoin habite une autre cité de Stains. A. est une des plus jolies filles du collège. On dit de sa sœur, qui est en troisième, qu'elle est déjà assez libérée. Elle parle beaucoup de ses histoires de garçons avec une de ses amies, une blonde très ronde. Leurs conversations à haute voix me font rêver. Sa copine est chaude comme la braise. J'ai trois ans de moins qu'elle, j'ai de l'ambition. Je sens que malgré la différence d'âge, elle a petit crush sur moi. Je sais qu'avec elle, je peux fourrer le zizou dans la brèche (dédicace à Stomy Bugsy). Un soir, à la sortie des cours, on se donne rendez-vous à l'arrêt de bus avec la blonde. Elle fait au moins vingt-deux fois ma taille. Là, j'attaque, à l'instinct. Pour la première fois, j'explore un sexe féminin avec mes doigts. Explosion des sens. J'ai le vertige. Je découvre le paradis et l'enfer, je me dis que c'est la plus belle chose sur terre. Pour moi, à partir de là, il n'y a plus de limite de taille et de couleur.

À l'époque, je raconte cette histoire seulement à mon pote Willy.

Dès mes 12 ans, à Saint-Cyprien-Plage, je travaille pendant l'été. Je nettoie les voitures des employés des bureaux de mon beau-père en échange d'un peu d'argent. Mon beau-père ne me donne pas d'argent, lui, et je ne comprends pas pourquoi je dois galérer autant.

L'année de mes 13 ans, je suis dans le coin de Saint-Cyprien, chez un ami de mon beau-père, un agriculteur qui a des vergers et qui fait de l'aéronautique. Je travaille là-bas, à la cueillette des abricots et des pêches. J'y découvre aussi les filles. Je leur mens sur mon âge. Le copain de mon beau-père appelle mon père en lui disant : « Il travaille très bien, mais il découche toutes les nuits. »

Juste après, je rencontre C. Je découvre ce que c'est d'être un peu amoureux même si dans notre univers, c'est une zone satellite qui nous affecte assez peu, nous les keums. Sous ses fenêtres, place de la mairie du vieux Gonesse, l'épicentre de notre vie avec mes potes, il y a des arcades. Dans cet endroit, jamais de filles avec nous, même si elles habitent autour. La mère de C. nous connaît, on traîne toujours sous ses fenêtres. On reste six mois ensemble, une éternité pour l'époque. J'ai 16-17 ans, j'ai arrêté le lycée. Dans la période où je deviens commercial, je m'achète un blazer bordeaux pour avoir l'air crédible.

À ce moment-là, je suis sérieux et fidèle avec les filles.

Heureusement, ma mère m'a tracé une ligne.

Avec A. c'est plus profond. L'histoire avec A. c'est l'histoire de la transition. Elle et moi on grandit côte à côte mais j'ai le sentiment que je fais des pas de géant et pas elle. J'aime sa différence, je ressens quelque chose qui m'implique plus. Je pense que c'est la femme de ma vie. Quand je la rencontre, j'ai 18 ans, et je resterai neuf ans avec elle à une période où j'ai envie de découvrir toutes les autres. Ce premier été ensemble, ce sera aussi les dernières vacances avec mes parents.

Avec A., on n'a pourtant jamais habité ensemble. Indirectement en fait, ce que je cherche chez les filles, c'est ce qui peut-être m'a manqué le plus : une famille. C'est déjà ce qui se passe avec C. Elle vient d'une famille d'émigrés, qui m'accueille les bras ouverts. Quand mon histoire avec une fille se terminait, leur famille me manquait parfois plus qu'elle.

Ma mère a peu de temps pour moi, elle est sans cesse occupée à travailler, et je vois mon beau-père comme un tuteur. L'élément solide de ma vie, c'est Karl. Il dilate mes horizons intellectuels et déplace mon attention en dehors de ma relation avec A. Il m'ouvre la porte sur Paris, sur le monde, social, culturel et matériel. Il est le Graal. C'est une des raisons qui m'a poussé à lui demander de travailler avec lui. Il représente l'ouverture dont j'ai besoin.

À 22 ans, j'ai multiplié les filles, de toutes les sortes, dans tous les sens. Je découvre l'alchimie parfaite avec quelques-unes seulement. Il m'est arrivé de confondre cette alchimie avec l'amour. À mes dépens. 2001, année capitale – c'est l'année de mon premier voyage à New York, de ma première veste Dior Homme, de mon premier combat de boxe en professionnel et c'est aussi la première fois que je dîne à la table de Karl lorsqu'il m'y invite. Un soir, alors que nous allons dîner au restaurant Nobu, rue Marbeuf, avec Mick Jagger entre autres, je découvre en descendant de la Mercedes que le voiturier du restaurant, Alioun, est un pote de quartier. Au moment de lui laisser la clé du 4 x 4 Class G 500, je suis un peu gêné. Il me checke. Au poignet, j'ai une montre J12 offerte par Karl. Quand il comprend que je suis avec lui, il est bluffé et content pour moi.

Cette même année, je rencontre C. sur un shooting où Karl bien sûr est derrière l'appareil. Elle est ravissante, elle fait de la télé. Sur le plateau, Éric Pfrunder et Karl voient bien qu'elle me plaît. Karl me demande de la raccompagner. Je ne suis pas fort sur la tchatche, mais je m'en fous. Autour de moi, les gens disent : « Seb, il ne parle pas, il tape. » Mais je sens que mon côté racaille plaît à C. Je lui explique que je suis l'homme à tout faire de Karl, que je porte les sacs… je ne m'en cache pas. C. repart avec mon numéro. Rapidement, elle me propose de dîner avec elle. Je ne connais rien à la vie parisienne, je n'ai pas la moindre idée d'où je dois l'emmener. On ira au Market, avenue Matignon où j'avais déjà conduit Karl pour un dîner avec Hedi Slimane. La passion physique est telle que je m'emballe. Je ne pense qu'à elle. Je tombe amoureux. L'alchimie entre nous est indéniable. Une nuit, je n'arrête pas de lui faire l'amour. J'en suis drogué. Elle vient dans mon deux-pièces à Gonesse où les photos des trois grands nus d'Helmut Newton offerts par Karl valent sans doute plus cher que mon appartement. Avec C., je vais vivre trois mois de passion dingue jusqu'à ce qu'elle disparaisse du jour au lendemain. Ça m'a rendu fou. J'ai pris une vraie tarte dans la gueule.

Et puis, il y a M., de 2002 à 2006. Une brune, une beauté froide, très pâle, douce, elle est encore étudiante. Culturellement et socialement largement au-dessus de mes fréquentations habituelles. Une véritable Parisienne. Avec elle, c'est la vraie histoire. Là encore, sa famille joue un rôle important, elle m'ouvre les bras. L'ensemble représente un cocon confortable. Tout commence lorsqu'elle m'emmène à un stand-up de Franck Dubosc. C'est elle qui m'invite et me propose de venir avec un copain car elle est accompagnée d'une copine. À cette époque, Karl m'a acheté le nouveau Range Rover. Saber est avec moi.

Je suis tout en muscles, M. m'avouera avoir été impressionnée par la taille de mes cuisses.

En route pour aller au restaurant, M. reconnaît « Hush darling », sa chanson préférée de Gregory Isaacs dans l'autoradio. C'est aussi la mienne à ce moment-là.

Avec elle, ce sera mon premier appartement parisien ; on paye le loyer à deux. Des deux côtés les parents pensent que l'on va se marier et faire des enfants. Sa mère est la directrice de la boutique Chanel de la rue Cambon.

En 2003, lorsque je perds ma mère, A., avec qui je suis restée très proche, et M. assistent toutes les deux à l'enterrement.

En 2006, on voyage sans cesse avec Karl. Mon implication et le temps passé auprès de lui détournent mon attention. Je rencontre énormément de gens, de filles et de femmes. Certaines ne restent que des amies.

J'ai été éduqué à m'en sortir. Mon beau-père me répétait sans cesse : « À 12 ans, je faisais les huiles. » Il voulait dire qu'il travaillait déjà dans la récupération des huiles. Il n'avait pas eu le temps d'être un enfant, et ne pouvait pas me laisser l'être. J'ai été dressé à l'épreuve. Les filles dans cette logique, c'est presque accessoire. Mes parents sortaient tout le temps, j'ai appris très tôt à me garder tout seul. Ma mère ne représente en rien un modèle domestique. Ses parents vivent dans un quartier très populaire à Ivry composé de communautés d'immigrés avec qui ils sont en contact. Ma grand-mère maternelle, Germaine, c'est un petit bout de femme pleine d'autorité qui fume des Gauloises sans filtre depuis toujours. Elle a de la poigne. Elle tient, avec mon grand-père, une épicerie de quartier au coin d'une rue. Elle s'entend bien avec ma mère. Ce n'est pas une grand-mère câline mais elle est aimante, je sais qu'elle m'aime énormément. Germaine est travailleuse, ça ne rigole pas. Avec son mari, Jacki, non plus. Lui et ses frères sont les gros bras du quartier. Ils sont fermés et ouverts en même temps. À une époque, mon grand-père et ses frères faisaient le tour des bars pour casser la gueule de tous ceux qui passaient. Un sport et un passe-temps.

Le respect se gagne par la peur, c'est ce que j'ai appris. Vers mes 12 ans, je suis chez mes grands-parents paternels dans le 12e arrondissement près de la gare de Lyon. Ma mère déboule avec mon beau-père pour me récupérer. Je vois bien que quelque chose ne va pas mais je ne comprends rien. Il est arrivé un problème à mon grand-père, je sens que c'est grave. Dans la voiture, j'apprends que mon grand-père s'est fait tuer dans l'épicerie d'Ivry. Ce matin de 1987, Germaine vient d'ouvrir l'épicerie, comme tous les jours. Son mari, qui fait du pain au même endroit, entend sans doute quelque chose dans la boutique. Il serait arrivé lorsque deux types cagoulés et armés de fusils à pompe demandaient la recette de la caisse à ma grand-mère. Cette dernière s'étonne, car tout le monde le sait, à l'ouverture de la boutique, il y a très peu de liquide. Mon grand-père débarque alors avec sa carabine tandis que les deux gars déchargent leurs armes sur lui. Des balles à ailettes, pas de la chevrotine. Il meurt sur le coup, sous les yeux de Germaine. La police a vaguement conclu qu'il s'agissait d'un braquage. Jackie pour moi, c'était Lino Ventura.

Ma grand-mère déménagera assez vite tout en restant près de la rue Verollot, à Ivry, et du cimetière. Elle va se mettre à faire les marchés avec sa sœur. Ce n'est pas une femme qui baisse les bras.

Au moment d'écrire ce livre, ma grand-mère me dit : « S'il te plaît, ne sois pas méchant avec ta mère. Elle t'aimait beaucoup. »

Karl me parlait beaucoup de sa mère. À force, elle est devenue, elle aussi, une sorte de présence dans ma vie. Karl aimait romancer les choses mais apparemment, sa mère était assez dure. Ces femmes fortes autour de nous, ça nous a liés, Karl et moi. Il avait échangé avec ma mère régulièrement dans le cadre de la CST. Contrairement à ce qu'on pense, Karl faisait pas mal de choses tout seul au début. Il lui a même fait porter des fleurs quelquefois pour la remercier. Il lui a également envoyé des lettres comme à beaucoup, mais ils ne se sont jamais rencontrés. Ma grand-mère Germaine connaissait également l'existence de Karl à travers mes récits et ce qu'en disait Jean-Claude, son fils. Elle l'aimait bien.

C. est la première des filles avec qui j'ai partagé mes vacances avec Karl. On resterait deux ans ensemble. Deux ans au cours desquels elle rencontra Baptiste, Jake et Brad. Elle travaillait au VIP à Saint-Tropez, puis sur les Champs-Élysées. Pour Karl, tant qu'elle n'apportait pas d'énergie négative, ça lui allait. Mais entre elle et moi, c'était un peu la guerre, elle me cherchait tout le temps. En dehors de Ramatuelle, elle vivait chez moi à Paris. Elle a été une source d'embrouille permanente. Elle travaillait la nuit et c'est grâce à elle que j'ai découvert ce monde, à Saint-Tropez comme à Paris.

V. arrive dans ma vie en janvier 2010. Très jolie brune, Italo-Française, elle travaille à l'hôtel Costes. Depuis des mois je sors beaucoup. Au VIP de Saint-Tropez et à Paris, je suis chez moi. Les mecs de la sécu, je les connais. Je fais de la boxe avec eux. Avec Jean-Roch et Dominique, on est devenus très proches.

Vodka pour quelques-uns mais soda et eau pour moi et mes potes dont la plupart ne boivent pas d'alcool. Jamais de drogues. Depuis que je travaille pour Karl, j'ai une nouvelle bande de copains, pas des profiteurs, des vrais copains, ceux que j'appelle mes frérots. Parmi eux, Vince, qui a travaillé chez Colette puis à l'hôtel Costes arrive un soir avec V., grande aux yeux clairs. Autour de moi, des potes et des filles, comme V. le dira plus tard : « C'est le miel et les abeilles. » Le samedi suivant, Vince organise une soirée. J'y revois V.

On commence une relation avec V. Je la présente à Karl à Saint-Tropez. Il la trouve jolie, sympathique, douce et cultivée. Je choisis des filles qui ont fait des études parce que je n'en ai pas fait. Ça me nourrit. J'ai un complexe, on me catalogue comme un bon à rien parce que je n'ai pas de bagage scolaire. Très vite, elle vient vivre chez moi. J'habite rue Jean-Nicot depuis cinq ans, dans un appartement loué par Karl mais choisi par moi. Je sens rapidement qu'elle veut fonder une famille et qu'elle voit les choses très sérieusement. Elle s'intègre parfaitement avec mes amis, ma famille choisie, mes frérots. Au bout de huit mois, on se lance dans l'organisation de nos fiançailles. Le 8 décembre 2010, au VIP, Jean-Roch m'offre une fête de deux cents personnes pour les célébrer. Karl est venu, ma famille et mes amis sont là. Je fais les choses bien. J'offre à V. une bague Camélia en diamants Chanel. Je ne réalise pas ce qui se passe. Et surtout, je ne pige pas que les fiançailles doivent être suivies d'un mariage dans l'année en théorie. Deux ans plus tard, je comprends que je ne l'épouserai pas et que je lui fais perdre son temps. Je capte trop tard que je me suis laissé porter par un rêve bourgeois qui ne me correspond pas. En mars 2013, je décide de lui dire qu'on arrête. Par respect, je n'ai pas voulu profiter d'une autre rencontre pour rebondir. V. tombe des nues.

Plus tard, il y a N., on se rencontre au défilé Chanel à Singapour. On se plaît tout de suite. Elle est mannequin, Danoise, très funky, drôle, magnifique. Elle est le rêve des mecs de Paname. Elle travaille beaucoup pour Karl, dans ses défilés et ses campagnes publicitaires. Au mois de juin, elle est modèle pour une série mode dans la forêt de Fontainebleau avec des loups, shootée par le jeune photographe Mathieu Cesar. Cette fois, j'ai choisi la fille qui plaît le plus à Karl mais le problème c'est qu'elle est très fêtarde. Un soir en sortant d'un verre au Plaza, elle est très éméchée. À l'époque, je roule en Lamborghini. Elle me dit : « Laisse-moi conduire. » Je lui passe le volant. Je suis vert mais on rit. On file dans une boîte d'où elle sort encore plus pétée. Je ne fais rien physiquement ce soir-là. Avec elle, c'est le phénomène mannequin qui prend le dessus. Les mannequins, je connais, mais N. est particulièrement spectaculaire. Mais elle repart au Danemark.

Au mois de juillet, elle est de retour à Paris pour les défilés de haute couture. On se fréquente de nouveau. Quand je mets Karl au courant, il est ravi et me demande de la faire venir au mois d'août à Saint-Tropez. Il l'aime bien et en plus elle parle en allemand avec lui.

Elle voyage sans cesse. Elle fait la fête aux quatre coins du monde. Mes amis l'adorent.

À Noël, en 2013, je loue une maison à Saint-Barth avec elle. Tout le monde tombe raide dingue de N., c'est une des top-modèles qu'on voit le plus en ce moment. Mais l'alcool reste un gros problème pendant les soirées. Heureusement, elle a également un bon coup de fourchette, ce qui la rend très sympathique. À chaque fois que N. revient à Paris, elle loge chez moi. Mais j'anticipe déjà le jour où elle va moins plaire et où sa carrière déclinera. Pas envie que Karl soit confronté à ça.

Chez Colette, où je déjeune régulièrement, je croise plusieurs fois une blonde, assez sexy, soignée, qui a un cul magnifique. C'est J. Je n'ai aucune idée de qui elle est. Un ami me prévient : « Elle, ça va être très compliqué pour toi. » Ça, évidemment, j'adore. Je la recroise par hasard. Elle ne veut pas me donner son numéro mais prend le mien en me prévenant qu'elle va m'appeler. Notre premier déjeuner ensemble chez Kinugawa, je lui raconte tout sur N. Et puis un soir, elle m'appelle et me rejoint à la Gioia, le restaurant du VIP. En fin de soirée, elle me propose de la raccompagner, mais ce soir-là je suis à vélo. On marche donc vers chez elle. Je refuse le dernier verre qu'elle me propose. Je ne le sentais pas et je ne voulais pas qu'elle croie que j'étais à sa disposition. Aujourd'hui encore, je pense que ça aurait pu être l'histoire de ma vie. Notre histoire a tenu deux ans pendant lesquels je me suis mis une pression folle pour essayer d'être à sa hauteur socialement. Je ne dormais plus la nuit, j'avais des acouphènes, je traversais une période compliquée et angoissante. Peut-être était-elle un facteur de cette complication générale ? Fin 2014, je vais mal mais je n'ose pas le lui dire. J'ai envie de me jeter par la fenêtre. Elle ne travaille pas. Karl l'aime bien. Il m'entend parler de J. en permanence. Il la rencontre enfin en juillet 2014 et l'accueille avec un jeu de mots qui la fait rire. À Saint-Tropez, son territoire familial depuis longtemps, elle vient de temps en temps dîner avec Karl mais pas si souvent que ça, car en fait, ça l'ennuie. En 2015, Jean-Roch me fait une fête surprise. J. est sa complice. Ensuite ? Que dire du fait que pour mes 40 ans, elle m'offre une valise… Je trouve ça étrange. Je n'ose plus lui parler de mes angoisses. Je n'en parle pas à Karl non plus. En décembre 2015, je l'emmène à Saint-Barth, mais elle n'a pas envie d'être là. Dès notre retour, elle part en voyage trois semaines avec son oncle. La communication devient difficile entre nous. Je sens qu'elle en a marre. À son retour, on arrête. Je pleure mais je me sens libéré de ce poids que la différence sociale faisait peser sur moi. Karl, dont la maladie a commencé, est soulagé car je lui reviens entièrement et peut-être aussi, parce qu'il m'a vu malheureux une fois de trop avec elle. En septembre 2016, J. fête ses 30 ans. J'y suis invité même si on est séparés depuis février. À la fin de la soirée, elle devient agressive et antipathique. Je pars.

En décembre, je commence une relation épistolaire 2.0 avec L. via Instagram et FaceTime. Ça devient assez vite obsessionnel. Karl me dit : « Tu parles à qui ? » Je suis au téléphone non-stop. Il me connaît par cœur, il sait que j'aime beaucoup parler avec elle. À Santiago du Chili, où elle vit temporairement, je m'arrange pour lui faire livrer un bouquet de roses, depuis Paris, sans l'avoir jamais rencontrée.

Un dimanche de décembre, je me fracture deux vertèbres et la nuque lors d'un entraînement de motocross. Je sors de l'hôpital sans paralysie au bout de cinq jours. Un miracle. J. ne se manifeste pas. L. me tient compagnie virtuellement.

Je tombe amoureux de L. par nos FaceTime et nos messages. Elle rentre du Chili début février 2017. Je ne l'ai encore jamais vue lorsque je vais l'attendre à l'aéroport à son retour du Chili. Mais j'ai le sentiment de tout savoir d'elle. Nous avons dix-huit ans d'écart. Elle a 23 ans et une certaine folie. Cela fait trois mois que nous communiquons virtuellement. J'aime bien ce que je vois quand je la découvre. Pendant quinze jours, nous ne nous quittons pas. Notre histoire démarre. Je suis amoureux. Karl la rencontre le premier été à Saint-Trop. Il l'adore tout de suite car elle est très culottée. Elle n'a pas froid aux yeux. Elle adore le sexe, la vitesse, les bolides, les voitures et le backgammon qu'elle m'apprend. Elle vient beaucoup avec moi à Louveciennes, dans le *pool house* dont j'ai fait ma maison au sein de la propriété que Karl s'est achetée là-bas. Ses amis ont son âge, l'interaction avec eux est plus limitée du fait de leur jeunesse.

Début septembre 2017, le cyclone Irma passe sur sa maison d'enfance à Saint-Martin pendant que son père y est. L. est ébranlée. Elle vient avec Karl et moi en voyage pour un événement officiel à New York puis à Hambourg pour le défilé Chanel. Karl n'est pas très en forme. Ses traitements continuent. Vers la fin d'année 2018, il va mal. L. m'encourage, me soutient beaucoup avec une certaine maturité bien qu'elle explose parfois pour des choses ridicules. La situation de Karl ne fait qu'empirer. Après le décès de Karl, en février 2019, je sens que L. ne m'admire plus. Elle rabaisse mon monde, mes références, mes origines et c'est intolérable. On est à quatre jours de l'hommage rendu à Karl au Grand Palais, en juin 2019, mon rendez-vous avec sa mémoire. Baptiste ne s'y montrera pas. La consigne est donnée au public : pas de téléphone. L. filme tout sans scrupule. Moi, je me retire derrière l'écran sur lequel sont projetées des images en mémoire de Karl et je pleure. Nous décidons de faire un break avec L. Au cours de l'été qui suit, je mets définitivement fin à notre histoire.

Mais au fond, mon problème, c'est que j'aime mes ex pour la vie. Je sais que j'irais au bout du monde pour elles.

Monopoly

Diane Kruger habite rue de Lille. Karl la connaît depuis toujours. Début 2018, elle lui fait passer un message car elle vend son appartement. J'habite alors un petit appartement rue de Verneuil que Karl a acheté en cinq minutes après avoir vu l'annonce à la fenêtre en mars 2010. Mais soudain Diane Kruger se manifeste. Avec Karl, on ne voit pas l'intérêt de changer car on pense qu'il est de la même taille que le mien rue de Verneuil. J'y vais tout de même, l'endroit est très joli et plus grand : parquet Versailles, cuisine en pierre, plein de lumière. Sarah Lavoine a fait la décoration de ces 110 mètres carrés. J'envoie des photos à Karl. Il est enthousiaste. Mais je lui dis que c'est beaucoup d'argent.

Karl l'achète à nouveau en cinq minutes. Je m'y installe en juin 2018.

Je commence à travailler pour Karl pour 2 300 euros net par mois. Ça passera à 3 500 euros en travaillant tous les jours sans compter les heures. Je ne parle jamais vraiment rémunération avec Karl car il est tellement généreux à côté. Enveloppes de défraiement, montres, vêtements, photos, vélos, moto, scooter, voitures pour lui mais mises à mon nom, comme celles de Jouannet… Je sais que je suis très gâté. Et pourtant, je ne possède presque rien. J'apprendrai plus tard, à mes dépens, que mettre des choses à mon nom ne signifie pas que j'en suis propriétaire… J'ai toujours voulu que le produit de la vente des voitures mises à mon nom ne me revienne pas mais serve à acheter les suivantes. Mes potes, contents pour moi, n'ont jamais été jaloux. Karl s'achète lui-même énormément de choses, de l'électronique à la mode aux montres, tout est dans l'exagération.

En 2006, à Miami, on est en train de shooter la campagne Chanel avec Brad et le mannequin Freia. Dans la rue, on voit une Lamborghini garée. Karl suggère qu'on en loue une, « pour faire des tours avec Brad ». L'après-midi même, nous voilà au volant, dans les rues de la ville avec Brad et Freia. On termine la nuit dans une boîte à strip-tease. On a tellement roulé qu'on n'a plus d'essence. À trois dans une deux places. La jauge dans le rouge.

Quand on rentre à Paris, Karl me reparle de la Lamborghini, et me demande si j'ai aimé conduire cette voiture. Je suis bien sûr enthousiaste, moi, le fou de bolides. Il me demande de me renseigner pour en trouver une à Paris. Je pense alors que c'est pour en louer une. Il me dit non, c'est pour toi. Hasard ou destin, une concession Lamborghini vient d'ouvrir avenue de la Grand-Armée. Je me renseigne pour une Gallardo Spyder gris anthracite. Le devis affiche 200 000 euros et il y a cinq mois de délais. Je n'en parle pas à Karl, trop cher. Mais il insiste. Je lui transmets alors le devis et il me donne son accord pour que je la commande et que les papiers soient à mon nom. En juin 2007, je reçois mon rêve de gosse.

En 1999, le château de Karl de Grandchamp est vendu. Il m'offre le vieux 4 x 4 Class G Mercedes que j'ai par la suite offert à mon beau-père. J'ai quinze téléphones qui s'accumulent, j'en donne à mes amis. Je ne garde pas tous les vêtements, je les distribue à mes potes. Certaines fois à mon bureau, j'organise des journées de distribution gratuite. Karl trouve l'idée tellement formidable qu'il me donne des stocks de ses vêtements qu'il ne porte plus. Ceux qui peuvent rentrer dans sa taille envoient des photos d'eux en guise de remerciements, lettre à l'appui. Momo, serveur au restaurant de chez Colette, frère de Tarek, lui-même vendeur au rayon mode, a pu s'habiller dans un smoking de Karl. Mes potes d'enfance sont trop baraqués pour les petites tailles de Dior Homme. Je prête facilement certaines des voitures qui ne servent pas, je laisse la maison de Louveciennes à mes amis qui sont comme ma famille. Même si c'est Karl qui a l'argent, nous cultivons la même religion du partage.

Pour chacun de ses anniversaires, je lui écris un petit mot même si je sais que je vais le voir dix minutes plus tard. C'est lui qui m'a appris à le faire. Chez Armorial, il fera fabriquer des tampons à mon monogramme, dessiné par lui-même. Avec mes moyens, j'offre toujours quelque chose à Karl, même si la légende, tout comme lui-même, clame qu'il déteste les anniversaires. Une fois, j'ai acheté des lithographies qu'il avait aimées dans une librairie où nous étions passés acheter des livres.

Dès 2001, lorsque Karl a perdu cinquante kilos, il fait du shopping à tour de bras. Il m'en fait profiter presque chaque fois.

Par la galerie Gmurzynska, de très riches Polonais, Joanna et Jan Kulczyk, collectionneurs d'art, veulent rencontrer Karl après qu'il leur a rendu service gracieusement. Karl leur a même donné des conseils pour la décoration de leur nouvelle maison. En remerciement, il reçoit la nouvelle Rolls Phantom décapotable. Je deviendrai le *go-between* entre eux et Karl.

En décembre 2010, à Saint-Barth, ils organisent sur leur bateau, un yacht de 91 mètres, le *Phoenix 2*, un dîner en l'honneur de mes fiançailles avec V. Ils me laissent inviter qui je veux. C'est un de leurs premiers cadeaux extraordinaires. Les enfants du premier mariage de Joanna m'invitent à revenir passer l'après-midi sur le yacht. Dans la salle des machines, il y a tous les jouets aquatiques imaginables dont je suis fou. Toute la journée je suis dans l'eau avec Jet Ski et *seabob*. Je suis ébahi.

Bien après, ils ont acheté une des maisons les plus chères de Londres et demanderont à Karl de réaliser une fresque photographique fondée sur l'histoire de Daphnis et Chloé pour leur salon. Ce travail leur sera assez chèrement facturé. Cela faisait partie du contrat.

Pour mon anniversaire, le 6 mars 2011, je reçois un *seabob* de leur part. Une autre année, ce sera une couverture Hermès en fourrure. Pour mes 40 ans, ils m'ont offert les photos originales des portraits de Mohamed Ali. Leurs cadeaux sont à la fois extraordinaires et pensés, toujours accompagnés d'un mot gentil.

Après la disparition de Karl, je vais réaliser que ni l'appartement de la rue de Lille, ni celui de la rue de Verneuil n'étaient à mon nom. Je n'étais que son locataire. Ma richesse, elle est culturelle et sociale. Dans les mois qui suivent le décès de Karl, quelques personnes sont restées des amis : c'est ce que Karl m'a laissé de meilleur. D'autres m'ont lâché. Je sais que j'ai servi à beaucoup de gens. Mais, même si je ne dois rien à personne, j'ai tout de même ouvert les yeux sur certaines personnes. Ça m'a blessé bien sûr. Le président de la maison Karl Lagerfeld détenue par un groupe hollandais, Paolo Righi, m'a offert un contrat.

Depuis mon contrôle fiscal de 2007 (j'en aurais ensuite en 2013 et 2017 dus à une mauvaise gestion de mon cabinet comptable), les voitures qui m'étaient destinées étaient mises au nom de Karl, avec plaque monégasque. À partir de 2005, je gère toutes les dépenses de Karl à partir de mon compte personnel, remboursées ensuite par chèques, sur notes de frais et factures.

En 2016, cela fait onze ans que Karl loue à La Réserve. Nous aimons tellement cette région qu'il me dit un jour que je devrais trouver une maison pour moi dans le coin. Il est évident que je n'en ai pas les moyens. Au départ, j'avais visité une maison toute petite, au milieu des vignes. Je la montre à Karl qui la trouve mignonne mais il y a beaucoup de travaux à faire et la dame qui la vend est velléitaire. Au moment de signer, elle réclame plus d'argent. On laisse tomber. Sur la route des plages, j'en montre une autre à Karl mais elle est trop proche de la route et puis ce n'est plus le même budget. Elle est louée à une personne dont je m'apercevrai plus tard que c'est un des managers de Sénéquier lorsque lui-même vient me voir et me dit : « Alors, on a visité ma maison ? » Ce manager avait été surnommé « promesse de vente » par Karl car, coutumier déjà du fait, il avait fait également capoter la transaction en ma faveur.

Peu de temps après, l'agence immobilière me rappelle lorsqu'elle récupère une nouvelle maison à vendre. J'envoie un ami architecte avant d'en parler à Karl. Mon ami est tellement enthousiaste qu'il est prêt à l'acheter lui-même. Lorsque je montre la vidéo à Karl, il s'emballe, appelle son homme d'affaires, Lucien Friedlander, et lui dit de faire ce qu'il faut pour pouvoir me prêter de l'argent afin que je l'achète. Ce sera la seule fois où Karl me prêtera de l'argent. C'est une dette claire, documentée et déclarée. Pour faire les travaux dans la maison, je revends une de mes voitures.

En septembre 2018, je m'installe pour la première fois dans ma maison à Ramatuelle. Après la disparition de Karl, être ici, à quelques mètres de la villa de La Réserve où nous avons passé tant d'années, me fait un drôle d'effet. J'emprunte les mêmes routes que celles que je prenais avec lui mais il n'est plus là. De Michel Reybier, propriétaire de La Réserve, j'attendais un mot de remerciement pour l'y avoir amené, rien que quelques lignes qui diraient une forme de reconnaissance de la fidélité qu'il a portée à cet endroit pendant quinze ans. Mais rien.

Les voyages

La première fois que je voyage au Japon avec Karl, on y va en long-courrier. Je suis en *first*, pour la première fois de ma vie. C'est l'ouverture du building Chanel à Ginza en 2004, précédée d'un défilé. À la fin du show, Karl sort saluer le public en kilt Dior Homme crée par Hedi Slimane. C'est aussi la première fois que je suis seul en charge de lui, car Jouannet n'est pas venu avec nous. Je gère tout pour Karl, ses déplacements, son hôtel, ses affaires, ses rendez-vous en concertation avec le département presse et relations publiques de Chanel… Pour la marque et pour lui, c'est un gros événement. Richard Collasse, président de Chanel Japon, est très fier de lui montrer toutes les animations

LED sur la façade du building. Rodolphe Marconi est en train de filmer son documentaire *Lagerfeld Confidentiel.* Il nous suit partout. Karl photographie un portfolio des grands créatifs japonais. Au moment où l'artiste Yayoi Kusama vient dans le petit studio improvisé du building Chanel – c'est tout de même une légende de l'art moderne nippon qui passe la porte –, Marconi n'est pas là pour filmer ce moment. Karl manque de devenir fou. Le photographe Araki vient également. Les Yoshida Brothers, eux, seront photographiés dans un théâtre japonais. L'année précédente, pour *Interview*, Ingrid Sischy a obtenu que Karl shoote dans chaque pays où il va les stars locales du moment. On a déjà fait Paris, New York et Los Angeles. Ici on descend au Mandarin Oriental. Dans la rue, c'est l'émeute autour de Karl. Les fans sont en folie.

Il fait tellement froid dans le studio installé dans le nouveau building Chanel – la clim de l'immeuble neuf est mal réglée – que Karl décide illico d'improviser une grève et emmène toutes les équipes du studio-création dehors. Ça ne dure pas, mais tout le monde se marre. Moi, je suis comme un fou, j'observe tout. Je suis fasciné par le parking du building

Chanel, où la voiture est amenée automatiquement sur des plateformes téléguidées. Je suis resté planté une heure à attendre le prochain véhicule pour voir le système fonctionner. Je photographie tout. Ce voyage est extraordinaire, mais c'est en même temps un énorme stress. Heureusement, Éric Pfrunder m'aide et me donne confiance.

Je rencontre Nigo, rappeur et artiste japonais dont les dents sont en diamants. Il arrive au volant d'un Hummer blanc qu'il conduit lui-même. Tout est dingue ! On dîne dans le restaurant où a été tournée une scène de *Kill Bill.*

Je suis halluciné par le métro qui ressemble à un laboratoire. Les rues sont immaculées. Le grand carrefour de Ginza me fascine, j'ai la sensation d'y voir les figurants d'un film. La nuit, je cours, comme à New York, c'est ma façon de découvrir la ville. Tokyo est tellement éclairée que je me demande comment les gens peuvent y dormir.

On quitte Tokyo direction New York. J'ai les trente-cinq bagages de Karl à gérer. L'équipe photo est du voyage. Katherine Marre est la seule fille du groupe. Avec Rico, on est ravis d'aller à New York, on n'en peut plus de la propreté japonaise. À peine arrivés, déjà repartis : Paris, Monaco…

De New York, on rentrera dans le nouvel Airbus A380. Dans les quatre places de la *first*, il y a Jean Paul Gaultier, Karl et moi. Je me sens au cœur de la mode mondiale. Je visite le cockpit qui me paraît tellement grand. Karl a détesté le vol car le bip des appels à l'hôtesse a retenti toute la nuit. Moi, je kiffe. Ce sera la dernière fois que Karl prendra un avion de ligne.

En avril 2002, on part à Los Angeles pour shooter un autre portfolio pour *Interview*. C'est ma première fois à L.A. Rien que le nom de l'aéroport, LAX, me fait rêver. Je touche le sol de ma culture musicale. Je veux absolument aller voir les ghettos. C'est aussi la ville du sport et pour ma génération c'est, à l'instar de New York, la ville de toutes les séries télévisées et de tous les films. On descend au Beverly Hills Hotel. Je ne sens même pas le décalage horaire, je l'avale sans y penser. Là on shoote les acteurs de la ville. On se déplace à chaque fois chez eux. Ingrid Sischy organise tout. On se retrouve chez Arnold Schwarzenegger. Je vois en vrai Terminator. Il représente pour moi un modèle de culture physique. Il parle avec Karl en allemand, nous invite tous à déjeuner dans son salon, est extrêmement sympathique. Dans son garage, il y a le premier Hummer, jusque-là uniquement un véhicule de l'armée, fait pour lui. Karl et lui échangent à ce sujet car il en a aussi un à Biarritz. Je n'oublierai jamais la dimension du parc de jeu de son petit garçon de 5 ans. Presque un terrain de tennis.

De là, on part chez Ashton Kutcher qui sort avec Demi Moore à l'époque. Il a une jolie maison dans les collines. Sur une remorque, il a deux Jet Ski, immédiatement ça me parle. Puis on shoote Dolly Parton chez elle. Comme elle adore les petits jeunes, Karl me fait figurer sur la photo.

Puis ce sera le tour de Missy Elliott. On débarque chez elle, le matin, comme convenu. Tout est installé, mais elle n'est pas réveillée. Les Cadillac Escalade sont garées devant la maison. Elle apparaît enfin. Odile Gilbert râle parce qu'à chaque fois qu'elle la coiffe, sa tête bascule, elle s'endort. Elle a dû se coucher très très très tard… Stéphane Marais est au *make up*. L'Wren Scott est la styliste, mais elle organise également le shooting. Les toilettes sont intégralement en léopard.

Vient le tour du chanteur Marilyn Manson. Il ne veut être shooté que la nuit. Sa maison ressemble à un petit château. Ce soir-là, il refuse tout net qu'Éric Pfrunder et moi-même restions dans sa maison. À peine rentrés, il nous fait sortir. Pendant le shoot, Marilyn Manson propose toute sorte d'écarteurs d'anus à Karl qui, choqué et amusé peut-être, nous le racontera.

Ensuite, il faut photographier Christina Aguilera. Elle est tellement désagréable que Karl est à deux doigts de lui cracher dessus.

Chez Pamela Anderson, à Pacific Palisades, je suis en arrêt devant sa voiture, une Dodge Viper. Chez elle, une pièce entièrement rose me fait penser à une maison de poupée.

Puis Ingrid Sischy me dit qu'elle a une surprise pour moi. Au stade où on en est, je me demande encore de quoi il peut bien s'agir. J'ai l'impression de feuilleter un magazine people en *live*. Ingrid connaît la planète entière. Il y a un rappeur qui arrive, m'annonce-t-elle, mais sans me dire son nom. La photo se fera à notre hôtel.

Et là, je vois un de mes rappeurs préférés arriver au Beverly Hills Hotel. Ice Cube en personne, dans sa Cadillac Escalade avec jantes 26 pouces. D'ailleurs, elles serviront de décor à la photo. Je tiens malgré tout ma place et ne veux pas demander à Karl de prendre une photo de moi avec Ice Cube, même si j'en meurs d'envie.

Le shooting suivant est à l'heure du déjeuner. Et tout simplement, on arrive chez… Pierce Brosnan. Maison de rêve au bord de l'océan, dont le salon d'été est dans le sable, connecté à la plage. Il nous reçoit extrêmement bien. L'Wren Scott en revanche se montre très désagréable. Ingrid et Karl déjeunent seuls avec Pierce tandis que nous sommes royalement traités dans notre coin.

Grâce à Ingrid Sischy, on découvre le restaurant du chef japonais Matsuhisa. Les filles y sont à tomber. J'y goûte la nourriture japonaise. On y croise Mark Wahlberg.

Le dernier jour, on shoote en studio. Je ne suis pas au bout de mes surprises. Ces derniers temps, j'ai tutoyé des légendes. Mais cette fois, il s'agit de Jack Nicholson. Lorsqu'il déboule, Karl se lève et lui dit : « *Don't move.* » Un clic, une photo, c'est la bonne. Comme souvent, l'immédiateté de Karl vise juste. Quelques instants plus tard, arrive Benicio del Toro. Je n'en peux plus, je prends alors une des deux caméras de Karl et je fais très vite une photo en argentique. Karl habillé de blanc est en surexposition. Il irradie. Benicio est appuyé contre le camion.

Puis apparaît Nicole Kidman. Sublime. Une silhouette ahurissante.

Je m'en souviendrai toujours, en 2003, Helmut Newton a photographié Karl au 51, rue de l'Université. C'étaient leurs grandes retrouvailles. J'étais là. J'aurais adoré demander à Newton qu'il prenne une photo de nous deux, mais je n'ai pas osé et je le regrette encore.

Un des voyages les plus fous a été aussi celui que nous avons fait en Chine lorsque Fendi a organisé son défilé sur la Grande Muraille, en décembre 2007. Une dinguerie absolue. C. m'a rejoint là-bas pour l'occasion. Il y a eu un dîner avec Bernard Arnault, sa femme Hélène et Karl. Les Arnault ont bien sûr leurs propres gardes du corps. Avec eux, Karl visite en privé la Cité interdite. Pour nous, les gardes du corps, elle est réellement interdite car on nous en ferme l'accès. C'est la seule fois que je me suis fait voler Karl.

Retour en avion privé vers l'Europe.

Lorsqu'il n'y a pas de voyage pour Chanel, Fendi ou la marque Karl Lagerfeld, on part juste Karl et moi. En 2005, on passe même une semaine par mois à New York pour la marque Karl Lagerfeld. On fait des allers-retours avec Rome pour Fendi. Et, en plus du reste, on jongle entre Saint-Trop, Paris et Monaco…

Lors de l'extraordinaire voyage Chanel à Cuba en mai 2016, Karl est déjà malade. Il prend l'équivalent d'une chimio en cachets mais il ne montre rien. Cuba pour moi, c'est l'île de la boxe. Les vieilles bagnoles américaines n'ont plus que leur carrosserie sous laquelle ronronne un moteur chinois trafiqué. Il n'y a que des bars à tapins. C'est un morceau des Caraïbes que je découvre. Pour la sécurité, Boris et Thibor sont là en renfort. Karl les apprécie. Cela me permet de me détendre un peu. Le défilé se passe dans une rue et se termine dans une apothéose. Je défile avec Brad et Jake, cigare au bec, panama sur le front. La rue, les spectateurs, les journalistes, l'orchestre qui nous accompagne, les mannequins, tout le monde est en délire. Comme je ne fume pas de cigare et que je n'en ai jamais fumé, je ne sais pas qu'on n'inhale pas la fumée. À la fin du show, je suis vert et je transpire comme un fou, je pense que je vais mourir. Au final, derrière Karl qui ouvre la parade, les danseurs, le public, tout comme les Cubains du haut de leur balcon, sont en transe. Ce soir-là, Karl dansera avec Cécile Cassel et Vanessa Paradis à la fête qui suit. Il est léger, heureux. Il a réussi un joli coup. Personne ne se doute qu'il lui reste un peu moins de trois ans à vivre.

À Hambourg, pour le défilé Paris-Hambourg début décembre 2017, je retourne sur le territoire d'enfance de Karl, que je connais très bien pour y être allé souvent depuis le milieu des années 1990, travailler dans sa villa Jako avec les gars de la CST. Karl et moi on est contents d'être là, c'est la première fois qu'un de ses défilés y est organisé car les Allemands, il n'en est pas fou. Bien sûr, certains journalistes voient dans ce retour dans sa ville natale un signe. Ils se doutent vaguement que quelque chose cloche du côté de sa santé. Le défilé a lieu dans le bâtiment de la Philharmonie de Hambourg dont l'architecture extraordinaire est signée Herzog & de Meuron. La nuit précédant le défilé, le système d'incendie de l'hôtel de Karl s'est déclenché. Choupette a fait un bond. Karl a mal dormi, il est fatigué. Il faut aussi commencer un nouveau protocole.

Khemis et mon beau-père Christian

Au début, c'est juste le voisin de pavillon de A., ma copine de l'époque, dans ce petit village du Thillay, coincé entre les grosses villes de la banlieue nord où j'habitais. Ils sont très proches. Khemis a déjà deux enfants. Tout paraît très tranquille, mais le village est habité de gens du voyage, ce qui le rend très vivant. On passait déjà dans ce village avec mes potes avant de les connaître. Saïd s'était fait voler sa Mobylette par des « tanges », des gitans et il ne voulait plus passer par là. On a fini par y aller avec son père, ouvrier à l'usine, un dur courageux, pour la récupérer.

Avec Peth et Willy, on traînait souvent devant chez A. car elle n'avait pas le droit de sortir. Elle s'occupait de temps en temps de Gregory et Alexandre, dits Alexo et Gogy, les enfants de Khemis. J'accroche tout de suite avec eux. Ils ont 5 et 8 ans en 1992. Je fais du motocross, on passe en roue arrière en permanence sous leur fenêtre. Leur père leur a acheté un PW, un mini motocross. Les gens de la rue commencent à nous connaître et à nous détester. Khemis est fils d'immigrés tunisiens, il a plusieurs frères et sœurs, sa femme Natividad est fille d'immigrés espagnols repartis vivre en Espagne. Ils sont plus jeunes que mes propres parents et très ouverts. On sympathise.

Je commence mon service militaire, l'armée m'a même proposé de signer et de m'engager. J'ai refusé. À mon retour, on se revoit encore plus avec Khemis et Nati. J'emmène leurs enfants au motocross le dimanche. Je veux faire de la sécu, être garde du corps. Je vais travailler de temps en temps en renfort dans la boîte de sécu Les Buffalo puis chez FSI. Je ne suis pas le plus fort mais j'ai de la détermination. Arrêté pour une blessure lors de l'entraînement de boxe, je dépanne Khemis, grâce à mon permis poids lourd, lorsqu'il fait les marchés. Avec mes potes, je pars en mission pour chourer des motos. On n'est pas vraiment des voleurs, c'est plus histoire de s'occuper. Mais après l'armée, je me calme. Plus jeune, dès que la porte était ouverte le matin, on filait jusqu'au soir, jusqu'à ce que nos pères nous rappellent pour rentrer à la maison. Mon beau-père me mettait des roustes, des coups de pied et des savates. Il faisait 100 kilos, il aurait pu me tuer s'il le voulait mais n'a jamais tapé pour blesser. Il a des coups de sang. J'en ai aussi et dans ces cas-là, je casse tout autour de moi. Je me suis souvent cassé les phalanges en frappant dans les murs, les voitures, les télés, tout ce qui passe. Khemis est impulsif comme moi. Il met aussi des corrections à ses enfants mais uniquement lorsqu'elles sont méritées. Il y a des similitudes entre lui et mon beau-père mais il aime les gens, la vie, les enfants, chose que je n'ai jamais vue chez mon beau-père ou mon père d'ailleurs. Je n'ai aucun souvenir d'amour paternel, sauf de la part de mon grand-père maternel que je voyais un peu comme un parrain de la mafia. Mais pas un câlin à l'horizon non plus. Chez Khemis, l'amour est là, à travers sa famille. Il est beaucoup plus jeune que mon beau-père, ce qui nous permet de partager plus de choses. Les parents d'A. sont Franco-Yougoslaves par son père qui aime ses filles par-dessus tout.

À l'époque, mon beau-père ne m'a pas laissé le choix, j'ai appris à me débrouiller dans la jungle du travail. Au début, pour me réveiller, il frappait à la porte ou me balançait un seau d'eau sur la tête. Il m'a inculqué que la réussite est possible mais au prix d'une discipline et d'un effort de fou. Dès mes 16 ans, je me mets à travailler vraiment et dès mon premier salaire ma mère me demande de verser un loyer alors que je vis chez eux. Je suis choqué. Je n'ai jamais entendu ça. Au bureau de mon beau-père, il y a tous les profils dont des mecs qui ont fait de la prison. Ils sont dévoués corps et âme à ma mère et deviendront des soldats de mon beau-père, qui les remet dans le droit chemin. Un jour, je me suis fait virer de l'école, une fois de plus. Un des transporteurs de la société de mon beau-père vient me récupérer pour m'amener au bureau devant ma mère. J'ai pris le clavier de l'ordinateur dans la tête. J'ai de la chance malgré tout, car certains de mes potes se font battre violemment. Vivre en cité, il n'y a pas d'horizon. Paris nous est interdit. La promesse qui a été faite d'une vie meilleure aux parents ou grands-parents de mes potes n'a pas été tenue. Si tu ne vas pas au charbon, tu meurs tout de suite. Le réflexe de survie est permanent, même quand on est chez soi.

En 1995, à 20 ans, j'achète mon C15, je suis chauffeur-livreur. Je me suis mis à mon compte en tant qu'artisan-louageur. Parfois je fais les marchés avec Khemis, c'est le roi de la magouille. Il m'apprend beaucoup. Ma mère a déjà son cancer et prend ses traitements mais elle travaille toujours. Je croise Karl Lagerfeld chez qui je travaille de temps en temps avec la CST. Je m'entraîne à la boxe. Tous les dimanches, je fais du motocross, en entraînement ou course. Souvent, A. et moi on va chez Khemis, le voisin. Je suis en permanence avec ses enfants. Il sait qu'il peut compter sur moi, il retrouve en moi son petit frère qu'il a perdu dans un accident de voiture à Gennevilliers. Je rencontre sa mère, ses sœurs et son père diabétique que j'aide à se déplacer. Dans cette famille maghrébine, on partage, on accueille, on mélange. Je me sens moi-même Maghrébin dans l'âme. La chaleur de leur accueil compense quelque chose en moi. Certains de ses neveux et nièces en deviendront jaloux et je peux le comprendre.

1996, vacances avec A., Saïd, Angèle, Rico et sa *girlfriend*, Delphine. Coup de chance, mon beau-père me prête l'appartement de Saint-Cyprien.

De son côté, Khemis part en vacances dans un appartement en location à Torre Dembarra, en dessous de Barcelone. À son retour, il nous annonce qu'il a trouvé une maison là-bas. Elle deviendra le lieu de rassemblement et de retrouvailles de notre relation. A. y partira souvent en vacances avec Nati. La maison est perchée au-dessus de la nationale La Tarragona, plus loin, il y a le chemin de fer puis la mer. Tous les étés jusqu'à sa mort, j'irai là-bas.

La première année, on loue la maison mitoyenne avec des amis. Ensuite, en 1998, je vais préférer me retrouver seul avec eux, chez eux. Saber et Peth iront au camping. Khemis a décroché un contrat par le placier en relation avec la mairie de Saint-Denis pour pouvoir vendre sandwichs et boissons devant le Stade de France. Entre la sécu, la boxe, le motocross, faire la route pour transporter des choses, faire les marchés de Saint-Denis, suppléer la boîte de sécu de Gonesse, aller sur des chantiers de Karl via la CST, je dors à peu près trois heures par nuit. Je récupère sur la couchette des camions, dans ma voiture, rarement chez moi. Je cumule six boulots en tout. Le soir de la Coupe du monde, on est là, devant le Stade de France à vendre sandwichs et boissons. Certaines canettes récupérées, on les a eus à 10 centimes, on les revend 3 euros. Il est le roi de la filouterie.

En 1999, je commence à plein-temps chez Karl. Lorsque, je lui raconte ma vie avec mon « oncle » Khemis, il me pousse à aller chez lui en vacances. La même année, je dois descendre une voiture à Biarritz pendant que Karl y va en avion privé. J'emmène Gogy, le fils de Khemis, alors en vacances scolaires, qui a 15 ans. Un gosse adorable. Pendant un déjeuner avec Gogy à la cuisine, Karl passe la tête. Gogy est très impressionné. Karl s'inquiète de savoir si on a tout ce qu'il faut sur place et me propose de remonter avec Gogy dans l'avion privé qui rentre au Bourget. Le gosse est ébloui.

Karl connaît ma passion pour le Jet Ski. Avec Khemis on a acheté notre premier Jet Ski en magouille à des gars de Saint-Denis dans un sous-sol. Karl m'aide désormais à en acheter un nouveau.

Khemis découvre ma vie avec Karl. Il est admiratif et content. Il a confiance en moi, je l'aide encore sur deux trois choses avant que ses enfants deviennent suffisamment grands pour le remplacer. Une des dernières choses qu'on fait ensemble avec Khemis, c'est le concert de Johnny Hallyday au Champ-de-Mars, on tient son stand boissons, sandwichs, kebabs.

Puis Khemis arrête de faire les marchés car il a monté une boîte de construction. Il rebondit toujours. Je vais toujours chez lui en vacances mi-juillet avant les vacances de Karl à Biarritz. J'en profite pour descendre ses enfants. Sur la route, j'organise chaque année une halte chez ma mère dans sa maison dans le Berry.

Le rituel se poursuit pendant des années.

En 2005, on ne va plus à Biarritz avec Karl qui s'est mis à préférer Ramatuelle.

Cet été-là, j'ai loué une petite maison pour les trois premières semaines d'août, en face de celle de Khemis, en Espagne. Passé la frontière, sur le chemin, je m'arrête à Begur dans la maison qu'Éric Pfrunder loue. Puis je rejoins Karl à Paris avant de descendre à Saint-Trop.

Khemis me fait sentir que je suis quelqu'un de bien. Karl aussi me montre l'importance que j'ai dans sa vie. Brad et Jake n'ont jamais empiété là-dessus par leur présence même s'ils sont comme les autres, soucieux de leur intérêt personnel… Baptiste et d'autres font la même chose avec Karl. Lorsque je vois ce qui se passe entre Karl et celui que je ne considère pas beaucoup, ça me rend fou. Il parle mal aux gens, se comporte mal ; alors oui, j'explose.

L'accident, le 14 février 2012

Comme tous les week-ends, je suis passé voir Khemis. La Saint-Valentin est le mardi suivant. Ce jour-là, on est au 8, rue des Saints-Pères, chez Karl. On déjeune à trois avec Baptiste. Vers 15 heures, je vois qu'Alexandre, le fils cadet de Khemis, cherche à me joindre. Ses appels se multiplient. Je finis par répondre en m'éloignant dans la cuisine. Alexandre me dit : « Il arrive un truc de fou, tu ne peux pas comprendre, tu ne peux pas comprendre. » Je ne saisis pas ce qu'il dit. « Mon père, il est mort. Viens vite, il faut que tu viennes vite. » Khemis, mort ? Je m'effondre, je crie. Comme une bête. Karl et Baptiste m'ont entendu, ils se précipitent vers moi. Khemis est mort dans un accident. Je suis en larmes. Karl est bouleversé de me voir ainsi, il sait très bien ce que représente Khemis pour moi. Je suis anéanti. Je préviens V. pour qui Khemis est aussi comme sa famille. Je fonce vers Pierrefitte avec elle en voiture. Sa sœur y fait refaire son pavillon, c'est Khemis qui gérait le chantier. Les travaux en sont à la phase de démolition. Un escalier était en train d'être cassé par son équipe. Lorsque Khemis est passé dessous, l'escalier s'est effondré sur lui. Quand j'arrive sur place, son corps vient d'être emmené. Je n'ai pas voulu voir sa dépouille. Je n'ai pas pu.

Certaines personnes de ma nouvelle vie, tel Jean-Roch, sont venues aux obsèques.

En mars 2018, mon beau-père s'écrase en hélico avec son fils Christophe vers Perpignan.

Christian était un très bon pilote et son fils apprenait à le devenir. Quelques jours avant, mon beau-père m'avait laissé un message en m'appelant « son fils adoré », un rituel au moment de mes anniversaires. C'est bizarre comme il prenait, avec l'âge, l'habitude de me dire ces mots-là, lui, le dur. Après le décès de ma mère, on ne s'est pas vus pendant six ans (la dernière fois c'est pour ses 70 ans en 2012), mais on se parlait régulièrement. Je l'ai revu une fois par hasard dans Saint-Tropez, alors que j'étais avec Karl. Sur le coup, je ne l'ai pas reconnu. J'ai vu arriver un trois-roues, un trike à deux places. Il s'est arrêté, a enlevé son casque et m'a dit : « Ça va mon fils adoré ? » Karl et moi on est restés sans voix. Mon beau-père était avec une femme. Je l'ai présenté à Karl à la fois en tant que personne qui m'a élevé et comme le patron de la CST. Karl lui a dit : « Vous avez un phénomène pour fils. » La situation était surréaliste. Karl a ajouté que c'était amusant de le rencontrer et qu'il ne l'imaginait pas comme ça : « Une chose est sûre, vous avez bien élevé votre fils. » Mon beau-père lui a répondu : « Ça n'a pas toujours été facile. » Il a été champion de France de pilotage précision en hélico. Il a fait des vols avec Nicolas Hulot. Il pilotait des petits avions monomoteurs, des ULM… alors le voir là, sur le trike, j'ai trouvé ça moins flamboyant.

En mars 2018, je suis au fin fond du Maroc pour un entraînement de boxe, cross fit et course dans le désert, organisé par mon frérot Brice. Le réseau est mauvais.

Je vois qu'Éric, mon demi-frère, a essayé de me joindre sur mon portable mais je ne m'inquiète pas plus. Finalement, mon oncle Jean-Claude me prévient de l'accident d'hélico. Je prends un uppercut en pleine tête. J'en pleure. Brice à côté de moi tombe des nues. C'est un dur qui n'exprime aucun sentiment.

Il paraît que l'hélico serait tombé comme une pierre. Le réservoir de kérosène a pris feu à l'impact. Aux obsèques, je revois mes frères, les fils de sa femme Thérèse, avant ma mère. Mon beau-père et son fils Christophe ont été incinérés ensemble.

Christophe était marié à son amour de jeunesse, il était père de quatre enfants. Ce jour-là, je réalise vraiment que je suis un étranger, que je ne partage pas leur sang. Me reviennent en mémoire les deux fois où j'ai volé de l'argent dans le portefeuille de mon beau-père où je trouvais des liasses de billets de

500 francs. Je me souviens des yeux de mon pote à qui je les avais montrés, ébahi, qui se demandait comment on allait faire pour les casser. Avec l'argent, j'ai acheté un pistolet à grenaille à un pote de quartier et un pistolet à plomb dans une armurerie, j'avais 12 ans. Voulant faire l'intéressant, je suis allé à l'école avec les deux pistolets. En chemin, je tombe sur un mec que je n'aime pas. Il me parle mal, du coup je lui tire dessus. La détonation a retenti mais il n'est pas blessé, même pas atteint. Arrivé à l'école, je cache un des deux pistolets. Le directeur, accompagné d'un policier, arrive pendant les cours de la matinée. Les parents du garçon ont porté plainte. Mon sac est fouillé, ils ne découvrent que le pistolet à plomb. Bien sûr, je suis renvoyé de l'école sur-le-champ. Comme punition, l'année suivante, j'ai interdiction de traîner dans la rue. Heureusement, je travaille chez mon beau-père et si ma mère et lui ne sont pas là, je dois être sous la surveillance d'un adulte.

La violence et l'apprentissage

L'armée a développé en moi l'idée qu'on peut contourner ce monde de bâtard. On a la puissance physique et psychologique. Lors de mon service militaire, j'ai croisé des types qui ne savaient ni lire ni écrire ou presque, mais ces types-là, avec les bons guides, se sont transformés.

Pour moi, l'attachement est un truc dangereux. Dès que je suis trop bien dans une histoire, avec une fille par exemple, je détruis les choses.

L'adrénaline, c'est essentiel. Avec Karl, l'adrénaline était là, sans cesse, à ses côtés, pendant les voyages, les événements… Je la trouve aussi dans le sport, les filles et la vitesse.

Il y a eu des moments à risque. Dans le motocross, les sports de glisse, la boxe. Plus je maîtrise quelque chose, plus je pousse la limite. C'est le kiff qui compte. Après m'être cassé la colonne vertébrale en décembre 2016, Karl m'a fait promettre d'arrêter. Je m'étais fait peur.

Petit, avec Willy, Diego et Thierry, vers 8 ans, l'hiver à Gonesse, au vieux marché où les stands sont faits de tables et de tréteaux, couverts de tôle, je suis déjà le roi du BMX.

On roule entre les tables, on saute sur un tremplin et on s'envole dans les airs à vélo. Je me dis même que je vais sauter d'un toit à l'autre sur ma bécane. Je glisse, mon crâne tape la tôle, je tombe sur la tête de 2 ou 3 mètres de haut. Je me relève en sang. Avec mes potes, on va au centre social qui est à côté pour demander de l'aide. La dame a peur et nous envoie paître.

Chez Thierry, sa mère conseille que ma mère m'emmène à l'hôpital. Je sens que tout commence à être dans le coton autour de moi. Ma mère, chez qui celle de Thierry m'a ramené, me demande ce que j'ai encore fait. Elle a l'habitude. Mais au moment où elle veut soigner ma plaie, j'ai du sang qui commence à sortir du nez et des oreilles et je m'évanouis. Il se trouve qu'un des chauffeurs de la CST arrive à cet instant pour livrer quelque chose. Elle lui demande de nous conduire d'urgence à l'hôpital. Je ne me suis réveillé que huit ou dix jours après. Fracture du crâne et du rocher.

Des années plus tard, en surfant à Biarritz, alors que j'étais seul sur ma planche, un courant m'a emmené. Je me suis vu mourir, j'étais en train de me noyer. Quelqu'un m'a ramené au rivage, je me suis réveillé allongé sur la plage.

Malgré les morts violentes autour de moi, celle de Khemis écrasé sous un escalier, de mon beau-père dans un accident d'hélicoptère et de mon grand-père, butté sous les yeux de sa femme, par deux types armés, je réalise que j'ai une sacrée bonne étoile. Plus tard, quand je vois Hudson, le fils de Brad devenu le filleul de Karl, je dis à Karl de faire attention, de ne pas trop le gâter. Il me répond que ce n'est pas comme ça, qu'il faut beaucoup gâter au contraire…

En 2002, Karl a failli assister à un combat de full-contact où je combattais en classe A, organisé à Goussainville, sur mon district comme on dit. C'est mon deuxième combat. Les années 1990 ont vu l'émergence de la boxe thaïe. En 2001, j'ai fait mon premier combat lors d'un « gala » à Nantes. Un gala de boxe, c'est une démonstration de boxeurs, des plus novices aux plus chevronnés. Karl est au courant, ma mère aussi. Je sais que je vais me battre sept fois deux minutes. Mais en arrivant à Nantes, je découvre sur les affiches que je vais faire le combat d'honneur dans la catégorie mi-lourd de moins de 81 kilos, le dernier combat du gala. Pour ça, je vais gagner 200 euros. Le premier round, je pars comme un missile sur l'adversaire. Mon coach me crie de me calmer. Sept fois deux minutes, je suis en face d'un mec qui veut me tuer. Je défonce le type, je lui casse des côtes. Il me rend les coups. On finit au poing sans K.-O. Après le combat, l'adrénaline me porte. On sort dîner, puis en boîte.

En 2002, je vais combattre contre un des gars de l'équipe de France. Lui, c'est un champion du monde de full-contact dans la catégorie mi-lourd. Il a trois ou quatre ans de plus que moi, je suis tout fier. Karen Pfrunder, la femme d'Éric, vient voir le match avec ses enfants. Karl devait aussi être là mais il travaille. Heureusement, car ce jour-là, je me suis pris une belle déculottée, arrêté au deuxième round pour avoir posé genoux à terre. L'organisateur a cru bien faire en mettant des hôtesses qui se baladent avec des pancartes. Ce n'est pas le genre du quartier dont la sensibilité est incompatible avec ça. Les canettes volent sur elles.

Depuis l'âge de 16 ans et jusqu'en 2016, je participe aussi au championnat régional d'Île-de-France de motocross. L'adrénaline de ce sport m'est indispensable.

Je réponds souvent à ce que je perçois comme de la violence par de la violence. C'est vrai que je peux prendre pour de l'agressivité ce qui n'en est pas. Ça m'est arrivé souvent de mal interpréter… De la part de Karl, quand je l'entends en 2009 me remettre un peu à ma place : « Eux, c'est différent, toi tu es là pour travailler pour moi », j'ai été blessé. Avec le recul, je réalise que ça pointait ma valeur, qu'il avait besoin de moi, que ma place, contrairement à celle des autres, n'était pas fondée sur de la séduction. Mais sur le moment, je me suis pris une gifle.

Enterrement, juste après le 19 février 2019

Vers 10 heures, la mort de Karl Lagerfeld est déclarée officiellement. La radio a annoncé sa mort avant même que je signe le certificat de décès. Jusque-là, rien n'avait fuité.

À l'hôpital américain, Lucien Friedlander et L. sont arrivés. Romain, qui savait que j'étais désespéré, vient aussi.

Jusque-là, Karl m'avait toujours dit : « S'il arrive quoi que ce soit, je ne veux pas de cérémonie. » Il disait qu'il voulait mourir comme les animaux qui disparaissent et qu'on ne revoit plus. « Si ça arrive, tu me fais incinérer, tu prendras les cendres et tu iras avec Caroline de Monaco les répandre dans la mer depuis son bateau. » Dans les dernières années et les derniers mois, et même la semaine qui précédait son décès – je le revois assis dans le canapé de la suite –, il me demandait s'il devait avoir confiance en Lucien Friedlander, son homme d'affaires. Je lui ai répondu que je pensais qu'il n'avait pas qu'un seul homme d'affaires... Karl m'a dit alors : « Ben si... », en réalisant son erreur, l'air de dire qu'il aurait dû en avoir un second. Je ne m'attendais pas à sa réponse. Mes trois contrôles fiscaux proviennent d'une période pendant laquelle Friedlander suivait comptablement mes dossiers. J'ai toujours été entièrement transparent avec Friedlander. Il sera le premier exécuteur testamentaire de Karl avant d'être remplacé. Avant de travailler pour Karl, je n'ai jamais eu de problèmes avec le fisc. Tous les montages dataient des années 1980 selon des pratiques qui sont aujourd'hui totalement dépassées. J'ai finalement fait rentrer Emmanuel

Dinh, avocat et prof de droit, une star de la fiscalité, dans mes affaires. En décembre 2018, me tombe dessus un redressement de près de 300 000 euros mais la chose la plus étrange c'est qu'il m'avait été indiqué par les conseils de Karl qu'ils allaient tout arranger. Ils ont accepté tous les redressements notifiés. Sur le fond, pas grand-chose à faire : les redressements sont liés à des erreurs comptables. Ils m'ont indiqué que Karl allait payer. Mais il a disparu avant d'avoir pu le faire…

Début mai 2019, via Emmanuel, j'ai finalement rencontré les services fiscaux : deux femmes et un homme sont là. Zéro affect. Emmanuel est avec moi. Discussion factuelle. Je leur explique tout dans les détails : que je gagne un salaire mais que je suis en contact avec beaucoup d'argent, ce qui est différent. Je détaille les erreurs de pilotage des personnes qui m'ont aidé, bien sûr, mais ont commis énormément d'erreurs.

Il me regarde tous les trois et leur avis tombe : « Monsieur vous êtes le dindon de la farce mais le problème est qu'au regard de la loi, vous êtes légalement responsable d'avoir confié vos affaires à ces gens-là, et donc redevable de cet argent. » Je suis sans doute fautif d'avoir trop fait confiance aux personnes qui nous entouraient à l'époque. Karl m'a dissuadé de faire rentrer mon propre conseil fiscal. Lorsqu'il voulait offrir une nouvelle voiture à la femme de ménage de Ramatuelle, elle choisissait une Golf qui devait valoir près de 30 000 euros. Mais lorsque le comptable s'étonna d'une facture du concessionnaire MS Motors à Cannes qui s'élevait à 180 000 euros, je lui répondis que ça n'était pas de mon ressort car je n'étais pas au courant. Karl avait en fait acheté une Ferrari, sans le dire à personne. Aucun problème pour moi, mais la cachotterie de Karl m'était incompréhensible. Le cabinet comptable et toute son équipe étaient braqués contre Baptiste qui appelait leur bureau sans cesse pour leur demander des choses.

Le soir du 19 février, mes potes viennent tous me soutenir. Ils sont chez moi, rue de Lille. Fredo, Laurent, Ange, Aurélie, Valérie, Brice, Mas… ma *girlfriend* L. Karl est décédé le matin même et ma « famille » de cœur est au complet pour m'entourer. Baptiste m'appelle. Il me dit qu'il est à Paris, seul, et veut me voir. Je lui dis de passer. À la fin, Karl ne répondait plus à ses textos, il lui a caché sa maladie, l'hôpital et le reste… Baptiste n'est jamais venu dans mon appartement. Ce soir-là, mes amis me diront : « Mais qu'est-ce qu'il a Baptiste à inspecter ton appartement et à regarder tout ce que tu as ? » Avec le recul, je me demande encore si ce jour si sombre, il n'est pas venu juste vérifier ce que je possédais. Évidemment ce soir-là, on est tellement triste qu'on ne voit rien d'autre. Il me demande pourquoi il n'a pas été mis au courant. Je le lui explique.

Le lendemain, je me réveille : c'est le premier jour depuis vingt ans que Karl n'est plus là. Le premier jour sans notre rituel, sans sa réponse à mon message quotidien, mon SMS du matin, vers 9 heures : « Ça va, cher Karl ? », pour lui faire savoir que j'étais prêt.

Neuf jours plus tôt, à 2 h 20 du matin le 10 février, je suis rentré chez moi et lui ai envoyé : « Je m'endors, cher Karl. J'espère que vous dormez bien. Je vous embrasse. » À 7 h 30 : « Tu pourrais venir ? M'aider au plus vite. Je suis complètement coincé, je n'arrive même pas à attraper une bouteille d'eau. » Un mois plus tôt, le 8 janvier, juste avant de rentrer de chez Richard Virenque à Saint-Martin, Karl m'avait écrit : « Bon départ ce soir. Je suis content que tu rentres. Tu commençais à me manquer. Je t'embrasse fort. La Choupette t'embrasse aussi. »

La veille de son dernier trajet pour l'hôpital, il est minuit quarante-quatre : « Tu as mon dernier message ? Reviens tout de suite. »

Ce funeste 19 février, je dois organiser l'incinération avec les pompes funèbres. Je ne sais pas comment on fait. Je ne l'ai même pas fait pour ma mère. Je répète que Karl ne veut pas de cérémonie, mais je ne peux rien imposer. Je me dis aujourd'hui que quand je le retrouverai là-haut, je vais me prendre une sacrée rouste et qu'il me dira : « Je t'ai connu plus autoritaire… »

Bruno Pavlovsky, très touché, sincèrement triste, comme l'ensemble de son premier cercle, pense qu'il faudrait quand même organiser quelque chose pour ceux de Chanel qui veulent lui dire au revoir. L'incinération doit avoir lieu le vendredi 22 février au mont Valérien.

Ce 19 février donc, Karl vient de disparaître. Il faut faire sortir son corps de l'hôpital dans la plus grande discrétion pour le transférer au funérarium en attendant la crémation. On vient depuis quatre ans dans cet hôpital. Parmi le personnel, la plupart ont protégé son anonymat, mais ce jour-là, bien sûr, tout le monde est au courant. Les professeurs Khayat, Abbou et Védrine, témoins jusqu'aux derniers instants, sont très tristes. Ils me disent que j'ai fait ce que je devais faire jusqu'au bout. Tous me montrent une forme de compassion et de reconnaissance qui me touche énormément. J'accompagne le corps. Dans mon 4 x 4, avec L. et Aurélie, on suit le fourgon qui l'emmène. Là-bas, je poste un de mes gars de sécurité.

Les jours suivants, je suis perdu. Il faut choisir la dernière tenue de Karl, celle qui l'habillera dans le cercueil jusqu'à l'incinération. Quai Voltaire, on choisit avec Françoise (la Choupette-sitter) et mon oncle Jean-Claude son dernier look. Je veux qu'il porte une de ses vestes préférées du moment, une veste YSL par Hedi Slimane, une de ses chemises blanches qu'il dessinait lui-même, fabriquées exclusivement pour lui par Hilditch & Key. Pour les bijoux, je choisis un de ses favoris avec le portrait de Choupette dans une aigue-marine et un autre qu'Éric Pfrunder lui a offert. Les mitaines font partie de sa tenue bien sûr. Je lui mets un dernier collier que Cyril Bismuth, fondateur d'Aaron Jah Stone, lui a offert, en perles noires orné d'un médaillon où la lettre K a été dessinée par l'artiste Kongo. J'explique exactement au personnel funéraire comment vêtir Karl. J'instaure que plus personne ne doit se retrouver seul dans son appartement. Choupette reste chez Françoise.

Le vendredi 22 février, on a rendez-vous en début d'après-midi pour fermer le cercueil. Caroline de Monaco est là avec sa fille Charlotte. C'est une des seules amies de Karl présentes. Sur place, je vois aussi des gens qui selon moi n'ont rien à faire là. Je me dis que Karl aurait détesté ça. Je ne gère personne. Je ne sais pas comment ils sont arrivés. Si Aurélie, qui travaille, chez Chanel est là, c'est aussi pour moi.

La femme de ménage de Ramatuelle est venue avec son fils. Je lui dis qu'il n'a rien à voir là-dedans. Il reste dehors. Pour les autres, je respecte leur besoin de se recueillir mais tout de même…

Pas de Baptiste à l'horizon. Ni Brad, ni son fils Hudson, filleul et coqueluche de Karl, ni Jake… Je n'ai pas le temps de penser à tout ça. De mes équipes, il n'y a que Jean-Claude, Françoise, Fredo, Romain et Boris, très affaibli par son cancer, venu malgré tout… les plus proches. Avec L. et Aurélie, il y a Ange, un ami forain, que Karl connaissait très bien et aimait beaucoup. Dans le cercueil, Karl est aminci, il semble apaisé. Éric Pfrunder est présent, bien entendu. Avant de fermer le cercueil, j'y glisse la montre Hublot en céramique rouge que Karl avait toujours avec lui et sa pochette Chanel en galuchat noir qu'il ne quittait pas, sans savoir exactement ce qu'il y a dedans, comme s'il partait à un rendez-vous. J'ai voulu également mettre son téléphone portable pour qu'il emporte avec lui tous ses secrets mais on m'a demandé de ne pas le faire, ça pouvait être dangereux au contact du feu lors de la crémation.

De là, on doit partir de la salle funéraire pour rejoindre le lieu de l'incinération. Je suis monté dans le corbillard avec Virginie Viard. Devant le crématorium, on attend beaucoup de monde. Soudain Baptiste apparaît. Brad avec ses deux fils également. De même que Carine Roitfeld. Je ne pense qu'à une chose, que ce cauchemar se termine. Heureusement, Aurélie et L. sont très attentionnées. Pendant la cérémonie, je suis assis pas loin des frères Wertheimer. Anna Wintour fait un discours. Marie-Louise de Clermont-Tonnerre aussi. La famille Arnault est là également. Karl disait toujours qu'ils étaient de grands amis pour lui. Silvia Fendi qui connaît Karl depuis qu'elle a 6 ans est très émue.

À la fin de la cérémonie, on se dirige chez Chanel car un verre est organisé pour le personnel de la maison. Baptiste s'incruste dans la voiture. Nous sommes escortés par la police, je me demande toujours pourquoi aujourd'hui. Dans la rue Cambon, badauds et paparazzi sont maîtrisés. Ici, les ateliers, le studio et les collaborateurs sont réunis.

Les jours suivants, Lucien Friedlander demande qu'on récupère des documents, des papiers, des chéquiers, des cartes de crédit pour lui. Le 26 février, je cours sur les quais rive gauche lorsque je reçois un coup de fil de Carine Roitfeld qui me demande de mes nouvelles. Quand je raccroche, je prends enfin conscience que m'attendent des centaines de messages, textos, Instagram, mails qui s'accumulent et auxquels je suis incapable de répondre. Je suis tellement absorbé par mon écran que je prends le mur de plein fouet. Je tombe par terre. K.-O. technique.

Le lendemain, Silvia Fendi demande à ce que je vienne au défilé Fendi à Milan. Je côtoie Silvia et les Fendi depuis que Karl demandait à la CST d'intervenir dans l'appartement qu'il possédait à l'époque à Rome. Caroline Lebar m'accompagne chez Fendi à Milan. C'est la première fois que je ne descends pas au Four Seasons, Via Gesù où nous allions depuis près de vingt ans avec Karl. Je suis à quelques mètres, à l'hôtel de Milan. L'impression est tellement étrange. Tout le personnel du Four Seasons m'envoie des messages de condoléances.

Chez Fendi, jusqu'aux derniers jours avant sa mort, Karl a continué à diriger les ultimes détails de la collection avec Silvia et la styliste Charlotte Stockdale, par mon intermédiaire puisqu'il avait du mal à parler. Ici, c'est le premier show sans Karl, qui travaillait pour la marque italienne depuis 1966. Je porte mon costume trois-pièces que j'ai dessiné pour la marque Karl Lagerfeld. Sur ma cravate, j'ai piqué une broche, une petite panthère de Cartier vintage qui évoque l'amour des félins que nous partagions avec Karl. C'est un de ses cadeaux, un talisman. Lors des derniers essayages Fendi, l'équipe a continué à travailler sans changer quoi que ce soit, comme si Karl était encore là. Les mannequins que je côtoie, dont les sœurs Hadid, Gigi et Bella, m'expriment leur gentillesse. Le matin du défilé, je prends un petit déjeuner avec Emmanuelle Alt, rédactrice en chef de *Vogue* Paris que Karl aimait beaucoup. L'année précédente, nous avions dîné avec

Hedi Slimane au Nobu du Royal-Monceau. J'avais fait découvrir ce restaurant à Karl le 11 novembre 2016, j'y avais emmené dîner J.

Pendant ce premier défilé Fendi orphelin de Karl, je n'ai rien changé à la tradition, je suis resté en *backstage*, à côté de Silvia. Elle me dit qu'elle aimerait qu'on crée une collection masculine sport ensemble. Silvia, qui parle travail, qui se tient, mais qui au moment de sortir seule saluer sur le podium, sans Karl, comme elle l'a fait depuis des années, n'arrive plus à retenir ses larmes. *Backstage*, tout le monde est dévasté. Mais il faut avancer.

Je ne mettrai plus les pieds ni quai Voltaire ni rue des Saints-Pères.

Dans les jours et les semaines qui suivent, je suis paumé. J'essaye de m'organiser. Le week-end du 1er mars, je pars à Courchevel avec L. pour tenter de me changer les idées. On rentre le dimanche 3 mars. La chose la plus bizarre, c'est qu'à cette période de l'année, je n'ai jamais pu partir nulle part car c'est normalement le week-end qui précède le défilé de prêt-à-porter Chanel. Quelques jours après, le 5 mars 2019, veille de mon anniversaire ce sera le premier défilé Chanel posthume signé Karl Lagerfeld. Ce show Chanel est bouleversant pour Virginie et toutes les équipes de la maison. Le surlendemain, j'ai prévu de partir tout oublier, chez Richard Virenque à Saint-Martin. Le 6 mars, date de mon anniversaire, par une synchronicité dingue, j'apprends que c'est ce jour-là que le testament de Karl est ouvert à Monaco. J'en ignore le contenu. Le même soir, j'ai décidé de faire un petit dîner amical dans la pizzeria de mon copain Marco, rue du Cherche-Midi, entouré de mes huit amis, en toute intimité. Pourquoi cet endroit ? Parce qu'au mois de février précédent, en dernier recours, au retour d'une des nombreuses séances de radiothérapie à la clinique Hartmann de Neuilly – en prétextant toujours à ceux qui voulaient bien encore le croire qu'on allait chez le dentiste –, Karl avait adoré une pizza qu'il voulait dévorer dans la voiture, « comme au McDrive dans le temps », disait-il. J'avais fait préparer par Marco des pizzas prédécoupées en petits carrés pour lui faciliter la tâche, en demandant qu'on me garde une place pour me garer dans la rue. Karl, de la voiture, lui a fait un signe pour le remercier. On a commencé à dévorer nos pizzas dans la voiture. Elles étaient tellement brûlantes que Karl a proposé qu'on les finisse quai Voltaire. À l'époque, il n'a plus d'appétit pour rien et je me bats pour lui trouver des repas appétissants. J'aime l'inciter à manger des choses qui lui font plaisir. Un soir, en sortant d'une séance de radiothérapie, il a envie d'un truc « dégueulasse » comme il dit. Je lui propose un McDo. Il m'avoue que ce qui lui ferait le plus plaisir serait en effet un cheeseburger et des frites.

Un an ou deux auparavant, je lui avais fait la surprise de lui rapporter les mini hot dogs que McDo faisait à l'époque. Il avait adoré. De temps en temps, il craquait pour ça.

Ce soir de février 2019, je ne veux que lui faire plaisir. On part donc au McDo de la rue de Rivoli. Je gare la Rolls Phantom 8 noire, un paquebot impressionnant, en double file rue de l'Échaudé. Je le laisse à l'intérieur avec les warnings allumés. Les vitres très teintées sont anti-infractions mais je surveille la voiture depuis le McDo. Quelques passants remarquent la Rolls. Tout va bien. De retour dans la voiture, Karl se jette sur ses deux cheeseburgers et les finit avant même d'arriver quai Voltaire. Ça me fait tellement plaisir.

Paris

Lorsque j'entre au service de Karl, je découvre Paris. Gamin, j'y venais parfois à vélo depuis Gonesse. Quand j'étais chauffeur-livreur, je connaissais la géographie de Paris par cœur. La topographie, les déplacements et les véhicules n'ont aucun secret pour moi. La différence ensuite, c'est que j'ouvre les yeux sur la beauté de cette ville. Dès le début, Karl veut monter devant avec moi. Il aime les 4 x 4 car il s'y sent plus en sécurité. Il aime être en hauteur, « pas au niveau du caniveau ». Et il ne veut jamais mettre sa ceinture de sécurité. Au moindre coup de frein, je le retiens du bras droit. La première fois que c'est arrivé, il m'a demandé comment j'avais eu le réflexe. Je lui ai raconté que mon oncle Jean-Claude, qui m'a trimballé partout, avait le même.

Karl m'a tout expliqué des monuments que je voyais. À son contact, j'ai appris des tas de choses. C'est simple, en voiture, soit il dort, soit il parle. Il aime montrer et partager. Karl et moi, on est pareils, on profite. Quand j'ai eu de l'argent, je n'ai pas acheté un mais trois vélos, pour ne pas en faire seul. Karl sait que je suis un garçon des cités. Il connaît bien mes limites, voit que je manque de vocabulaire, mais à chaque fois qu'il me raconte les choses, c'est sans condescendance.

J'ai un vrai problème car je ne tiens pas en place. Avec Karl, je suis une éponge, plus de trouble de la concentration. Je réalise qu'auprès de 90 % des gens qui évoluent autour de lui, je vais pouvoir apprendre et enrichir mes connaissances, évoluer. J'ai envie de devenir quelqu'un et j'aime le faire en aidant les gens. Dès mes débuts chez CST, je pose beaucoup de questions sur les meubles, les styles, les époques à tel point que mon oncle me conseille de me taire.

La première fois que j'ai visité le château de Versailles, c'est avec Karl. On a eu la chance d'avoir le lieu entièrement à nous grâce à Renaud Donnedieu de Vavres qui s'occupait de l'endroit. Ce jour-là, Françoise Dumas (amie personnelle de Karl et organisatrice des plus grandes fêtes, de celles de Bernard Arnault aux mariages princiers de la famille de Monaco...) et son collaborateur étaient là aussi et toutes les portes nous ont été ouvertes. Sa connaissance de l'histoire de France est bluffante. Karl nous raconte tous les détails. Il sait tout en y ajoutant sa science de la littérature du XVIIIe siècle.

Je me balade partout comme un enfant de 5 ans. Dans la galerie des Glaces, il raconte le traité de Versailles, lui, issu de cette Allemagne…

Lorsqu'il achète son appartement quai Voltaire, vers 2002-2003, les travaux durent longtemps. Karl y fait des photos de Brad, dévêtu, dans les gravats du chantier. À mon sujet, Karl, en rigolant, dira toujours : « De toute façon Seb, il n'enlève pas le bas. » C'est vrai, je ne fais pas partie de ceux dont la nudité a pu être une monnaie d'échange. Pour son décor quai Voltaire, il veut *2001 : l'Odyssée de l'espace*. La lumière est étudiée pour créer un éclairage uniforme sans ombres, le sol est en béton ciré gris. La structure des murs a été renforcée jusqu'au sol pour abattre le maximum de cloisons et créer un immense plateau. La climatisation est tellement sophistiquée qu'elle occupe toutes les caves du deuxième sous-sol. L'appartement tient de la navette spatiale. Des 350 mètres carrés divisés en sept pièces à l'origine, il ne reste qu'une chambre.

Personnellement, je préférais le 51, rue de l'Université où Karl avait enfermé dans le bâtiment XVIIIe siècle la froideur de Christian Liaigre et d'Ingo Maurer en tons gris et taupe. La baignoire en marbre de 900 kilos avait été passée par la fenêtre, la structure de la salle de bains avait eu besoin d'être renforcée alors que Karl n'était que locataire. Pour la logistique, le 51, rue de l'Université était également beaucoup plus pratique.

Mais ce que Karl aimait, c'était voir le Louvre depuis ses fenêtres du quai Voltaire même s'il ne pouvait pas se mettre réellement à la fenêtre car il serait devenu le point de mire.

Après le quai Voltaire, Karl a acheté en cinq minutes, comme d'habitude, une maison à l'angle de la rue des Saint-Pères et de la rue de Verneuil. Il aime l'immobilier et acheter. Placement financier et décor. Il l'avait repérée dans *Demeures et Châteaux*, ce magazine qu'il adorait. Une visite est organisée. L'agent immobilier est d'une lourdeur… mais ça plaît beaucoup à Karl qui ne se laisse pas décourager par l'état des lieux. Il s'y voit tout de suite. Entre le quai Voltaire, la librairie 7L au 7, rue de Lille et cette nouvelle adresse, il crée son triangle des « Karlmudes ». À Biarritz, le chantier a été réalisé avec Joëlle Pleot de chez Christian Liaigre. Plus tard pour une annexe, Karl voulait faire appel à l'architecte japonais Tadao Ando mais il y a eu un problème avec la mairie. Ensuite, il a demandé à Jacques de Cormont de travailler pour lui : c'était un architecte capable de mettre en œuvre ses moindres folies. C'est lui qui a réalisé le quai Voltaire, le Studio 7L, la maison rue des Saints-Pères et la maison de Louveciennes ainsi que son *pool house* devenu ma maison. Avec le fils du patron de la société Archeconcept, société qui emploie de Cormont, j'ai fait mon appartement de la rue de Verneuil. Moi, un type des quartiers, je ne connaissais rien à tout ça. En côtoyant Jouannet, Khemis ou Éric Pfrunder, j'apprends de leur réussite. Ils ont une véritable incidence dans ma vie. J'ai été choisi par Karl avec l'intuition que j'étais malléable, qu'il pourrait me former, que le matériau meuble que j'étais saurait grandir. Mais de Cormont pensait encore l'architecture en pièces de service, décoration et matériaux différents pour le petit personnel et pour le maître. Karl et moi avons évolué dans notre façon de considérer cette hiérarchie entre les gens à son service et les autres. Je lui montre une facette différente chez les personnes qui, comme moi, travaillent pour lui. Je dîne avec Karl, à sa table, à sa demande, je gère les courses et les fournisseurs de bouche. Là encore, il y a une différence que les chefs en cuisine persistent à faire entre ce qu'on sert à Karl, ce qu'on achète pour lui, et ce qu'on sert aux autres. J'ai souvent clarifié les choses pour que tout le personnel soit traité à égalité.

Un jour en 2010, Karl lit une nouvelle annonce qui lui plaît dans *Demeures et Châteaux*. Encore une. Il demande à Lucien Fridlander de se mettre en contact puis je prends le relais pour organiser le rendez-vous. Cette fois, il cherche une demeure en dehors de Paris. Dès qu'il a fini un projet, il a besoin de passer à autre chose. La villa se trouve vers Marne-la-Coquette. C'est un samedi. Normalement, le samedi, Karl veut toujours faire son shopping. Cette fois, c'est un shopping immobilier. C'est une demeure XVIIIe siècle, belle, mais y arriver est compliqué. En plus, le jardin monte vers la forêt et bouche la vue. Karl n'aime pas du tout. Futée, l'agente dit qu'elle a autre chose à Louveciennes mais que ça ne va pas du tout lui plaire. Bien sûr, Karl a immédiatement envie d'y aller.

À Louveciennes, le pavillon de chasse XIXe siècle est dans un grand parc. La bâtisse a été habitée par un poète. Des Russes en sont propriétaires. Au fond du parc, il y a une piscine de plus de 30 mètres et un *pool house* délabré d'esprit moderniste de 80 mètres carrés. Celui-ci deviendra mon lieu. Je m'y installerai en octobre 2013. Ça me rend tellement heureux. C'est magnifique.

Un paysagiste, cousin de Pascal Brault, collaborateur très proche de Karl chez Chanel pendant des années, prend en main le jardin sous ma supervision. Les travaux durent deux ans dans la maison principale.

À Louveciennes, Karl vient de temps en temps pour faire des photos ou des siestes mais il n'y a jamais passé la nuit. Il y a fait une décoration 1910. Il aime l'idée des décors, ça lui permet de mettre en scène ses rêves et les époques.

Il aime Paris pour ce qu'elle a de théâtrale. Ses photos des monuments en sont la preuve. Lorsqu'on rentre des séances de radiothérapie depuis la clinique Hartmann à Neuilly, il veut absolument que je passe par l'avenue de la Grande-Armée qui monte vers la place de l'Étoile pour redescendre ensuite les Champs-Élysées. Là, il est content, il apprécie la perspective jusqu'à la place de la Concorde. C'est si loin et si proche cette époque où au volant de mon utilitaire j'allais livrer du matériel médical dans les rues de Paname.

La brigade financière

Un matin de 2013, à 8 heures, on sonne avec insistance chez moi, 6, rue de Verneuil. J'ai dû rentrer tard la veille au soir, je mets du temps à émerger. Normalement je ne réponds jamais. Par le visiophone, je distingue plusieurs têtes. Je finis par répondre, une voix m'annonce : « Nous sommes la brigade financière. » Elle est accompagnée d'un huissier et de la police. « Si vous n'ouvrez pas nous allons rentrer de force chez vous », dit la voix. J'obtempère.

J'appelle aussitôt le cabinet Friedlander, on me répond qu'il se passe la même chose à leur bureau et qu'il faut les laisser entrer. Il s'agit d'une descente coordonnée à toutes les adresses de Karl Lagerfeld : rue de Verneuil, à mon bureau, 15, rue des Saints-Pères, chez Karl au 8, rue des Saints-Pères, au Studio 7L rue de Lille, au 13, rue de Lille, – petit appartement prêté à Jake, Baptiste, Éric Wright, au quai Voltaire, à Louveciennes, ainsi qu'au domicile de Lucien Friedlander avenue du Président-Wilson et à son bureau. Ils sont quatre ou cinq à chaque fois. On peut considérer que ce jour-là, une cinquantaine de personnes sont mobilisées pour cette opération. L'objet du litige :

la résidence fiscale de Karl sans doute. Chez moi, ils sont assez cordiaux. « Ici c'est quoi ? — Mon appartement, je le loue. » On me questionne : « Est-ce que ça appartient à Karl ? » Jusque-là, j'ai échappé à pas mal d'embrouilles, mais voir les flics chez moi, ça ne m'était jamais arrivé. Au bout d'un certain temps, l'atmosphère se détend. À mon bureau, au 15, rue des Saints-Pères, ils ne trouvent pas les papiers qu'ils cherchent.

Au 8, rue des Saints-Pères, Marjorie qui travaille dans la maison leur ouvre. Elle meurt de peur et ne cesse de parler. Quand un des flics demande où est le coffre, elle balance qu'il y en a deux. Un vieux coffre scellé dans le mur et un autre qui ne peut être ouvert qu'avec mon empreinte digitale. Mon oncle m'appelle car il faut que je sois là pour ouvrir. J'indique à mon oncle qu'on peut quand même l'ouvrir sans moi. À l'intérieur, d'un côté, il y a les affaires de Karl et à gauche, mes montres. La brigade financière fait l'inventaire sans rien prendre.

Pendant ce temps-là, depuis Louveciennes, Mourad, le gardien, a appelé pour prévenir qu'il s'y passe la même chose. On lui demande également s'il y a un coffre-fort. Il répond qu'il ne sait pas. Mais ils constatent rapidement que personne ne vit là. La brigade n'ira même pas jusqu'au fond du parc, là où est le *pool house* que j'habite. La Lamborghini et le Hummer y sont garés et passent inaperçus. La RR Phantom, elle, est garée dans le parking du quai Voltaire, ils ne la voient pas non plus.

En revanche, au bureau de Friedlander, ils ont embarqué beaucoup de choses.

Karl les a reçus quai Voltaire et mon oncle est déjà sur place quand j'arrive. Chez lui, c'est un bordel organisé sur différentes grandes tables de Martin Szekely qui viennent de la galerie Kreo, sur lesquelles s'accumulent papiers, livres, croquis, bloc à dessin, crayons, magazines… Autant chercher une aiguille dans une botte de foin.

Partout dans l'appartement, on a l'impression qu'on va partir ou qu'on vient d'arriver. Face au bazar, Karl leur propose de chercher lui-même ce qu'ils demandent. Il ne comprend pas bien ce qui se passe. Sont-ils dans leur droit ? Ont-ils organisé une opération pour l'impressionner ? Ça ne l'a pas empêché de leur offrir un café. Dans le quartier, tout le monde est déjà au courant.

Lorsque je retrouve Karl, c'est l'heure du déjeuner au 8, rue des Saints-Pères. Il est énervé, il débite comme une mitraillette puis il se tait. Friedlander soutient que ce n'est pas normal, qu'ils n'avaient pas le droit de faire ça… Le donneur d'ordre aurait été Cahuzac selon Karl. Quelque temps avant, il a donné une interview au 7L où il aurait tenu des propos peu sympathiques sur François Hollande. Mais à la parution du papier, la formule prêtée à Karl est lapidaire, du genre : « Hollande est un gros con. »

On a écorné l'impunité de mon Roi-Soleil.

L'œil de Karl Lagerfeld

Au bout d'un certain temps à son contact, je deviens familier des adresses parisiennes de Karl. Chez Marcilhac, comme chez Anne-Sophie Duval, chez Valois, Devos ou Kreo. Chez les antiquaires qui nous entourent, il repère sans cesse des objets, emprunte certaines choses pour des shootings. Les galeries savent que dans 90 % des cas, il va finir par acheter. La plupart du temps ça se termine en cadeaux. Il va très souvent chez la marchande de bijoux Lydia Courteille et chez Colette. Chez le fleuriste Lachaume, il connaît toute la famille.

Chez Dior Homme, il achète beaucoup d'Hedi Slimane puis du Kris Van Assche quand celui-ci lui succède. Quand Hedi est nommé directeur artistique d'Yves Saint Laurent, Karl fonce y acheter des tonnes de choses. Mais comme il ne supporte pas l'étiquette YSL, à cause d'une vieille rancune qui date du temps d'Yves Saint Laurent lui-même et qui les a longtemps opposés Pierre Bergé et lui, Hedi a fait faire une étiquette spéciale brodée au nom de Karl. Dès les débuts de Kim Jones chez Dior Homme, il a adoré. Lorsque La Hune était encore une librairie, il y faisait des razzias. Lorsqu'il a ouvert la librairie 7L, il est allé débaucher Hervé et Catherine de La Hune. Chez Galignani, il faisait des orgies de volumes qu'il commandait souvent en double ou en triple pour Monaco, Biarritz puis Ramatuelle et Paris. Le père de la directrice de Galignani, Danielle Sabatier, a combattu Mohamed Ali aux Jeux olympiques de Rome après la Seconde Guerre mondiale. Dès qu'il y avait des livres sur la boxe, Danielle m'en offrait. Cette adresse m'a été très précieuse pour donner de la lecture à tous les enfants de ma famille. J'ai compris qu'on grandit par les livres. Karl en était le meilleur exemple.

Chez Galignani, je demandais de plus en plus ce qu'il fallait lire. Ils m'ont guidé. Grâce à eux, j'ai connu Camus, Gogol, Hemingway… Ça paraît idiot mais j'ai plongé dans les *Harry Potter*. J'ai absolument adoré *Les Derniers Jours de nos pères* de Joël Dicker, les biographies de Mike Tison, Mohamed Ali, Mesrine – à qui ressemblait physiquement mon beau-père – je les ai dévorées.

Je n'ai pas vraiment envie de lire et d'apprendre des choses pour les autres mais davantage pour Karl et ceux qui sont proches de moi. Cette nouvelle vie avec lui m'a offert le pouvoir de changer la mienne. Les mots, ce n'est pas trop mon truc. Mais j'aime les gens qui m'en ouvrent les portes. Notre relation avec Karl était devenue telle qu'on n'a bien souvent plus eu beaucoup besoin de se parler. On échangeait au minimum mais en pleine harmonie.

Peu à peu, je vais devenir son œil. Lorsque je vois des choses, des meubles, des objets, je les lui photographie pour les lui montrer. Ses nombreuses heures de travail me permettent d'aller fureter. Je suis son *go-between* entre l'extérieur et son cerveau occupé chez Chanel et ailleurs. Quand je veux savoir le vrai montant des choses, j'envoie un pote inconnu à qui on ne fera pas un prix Lagerfeld. Mille fois j'ai constaté des différences. Tous les galeristes de la rive gauche se frottaient les mains en le voyant arriver. Souvent, on faisait des tours du pâté de maisons à pied. Certains, qui avaient repéré nos horaires, nous interceptaient pour nous montrer des choses. Tous les comportements sont biaisés dès qu'il y a de l'argent. Dans certaines galeries, Karl me dit qu'il va négocier le prix lui-même. En fait, il ne veut pas que je voie qu'il ne va pas négocier les prix du tout.

À la boutique Colette, rue Saint-Honoré, dès l'ouverture, je retrouve tous les éléments qui me plaisent, les vendeurs venus de tous horizons, des gadgets des quatre coins du monde, l'atmosphère sans cesse électrique, la musique… À partir de 2000, j'y déjeune quasiment tous les jours, à toutes les heures. J'y avais un vrai traitement de faveur, pas uniquement parce que j'étais l'assistant du meilleur client de la boutique mais aussi parce que l'endroit y était devenu mon deuxième bureau. C'est là-bas que Karl a acheté pour la première fois des bijoux Chrome Hearts. C'est devenu ensuite une obsession. Il y a aussi beaucoup de choses qui servaient à son inspiration. Il était fou de technologie.

C'était formidable pour moi car j'adore ça. Sébastien, vendeur de bijoux et montres et de trucs technos chez Colette avait bien compris à qui il avait affaire. Avec Karl, c'était le loto. Sébastien allait finir par avoir son portable. Souvent, il l'appelait directement ce qui était très pratique lorsque Karl voulait acheter en secret des choses pour Baptiste. En réalité, il achetait aussi en double ou triple pour Brad et autre. Mais Karl s'est aperçu trop tard qu'il payait tout cela très cher, Seb ne travaillait plus là. Chez Colette, Karl a dépensé des sommes astronomiques.

Pour Anna Wintour, Caroline de Monaco, Virginie Viard, Ingrid Sischy, Sandy Brant et quelques autres, ces femmes qu'il aimait énormément, il achetait des bijoux chez Lydia Courteille à quelques mètres de chez Colette sur le même trottoir. Avec mon oncle, on en riait un peu car en quelques pas, la fortune de Karl s'envolait en cadeaux pour ses proches.

Sid

En 2019, quelques mois après le décès de Karl, Sid, l'ancien manager de Baptiste, arrive dans la salle de sport où je m'entraîne, pas loin de porte d'Auteuil. Un de mes meilleurs amis, Rachid dit « le crabe », est là pour l'entraînement.

Au début, je n'ai pas vraiment apprécié ce Sid mais le respect est mutuel. Il a été le manager de Baptiste pendant longtemps, mais ne l'est plus depuis cinq ans.

« On ne s'est jamais vraiment parlé mais je voulais te dire… » Il explique alors comment à l'époque où il manageait Baptiste, il l'entendait s'énerver contre moi au sujet de choses que Karl faisait ou m'offrait. Il l'appelait pour lui faire des scènes. Ce qui confirme rétroactivement beaucoup de choses sur ce que je sentais sur Baptiste. Rachid est là et écoute. Une demi-heure de confession édifiante, à laquelle je ne m'attendais pas. Des choses d'un autre monde.

Aujourd'hui, je me dis que si Sid n'avait pas dit ça, je serais passé sur beaucoup de choses concernant Baptiste. J'aurais pu n'en garder que les bons moments car, malgré tout, il y en a eu.

Éric Pfrunder, le beau Rico

Dès le début, lorsque je ne suis encore que transporteur, je rencontre Éric. Tout de suite, il est sympathique à mon égard. C'est Éric qui a souvent un geste pour les garçons qui travaillent avec moi, offrant des petits cadeaux, des parfums… Il adore plaisanter et faire du charme. Sa moitié pied-noir d'Algérie prend régulièrement le dessus sur sa moitié suisse. Dès que tu as confiance en lui, tu peux te laisser aller sans t'en rendre compte tellement il te met à l'aise. Il participe aux premières vacances à Biarritz avec Karl où il vient avec sa femme et ses trois enfants, Candice, Tess et Jasper puis il s'organisera autrement. Je m'occupe de ses enfants comme s'ils étaient les miens. Dès que je travaille à temps plein pour Karl, il me sert de guide. Il travaille déjà à côté de Karl depuis son arrivée chez Chanel en 1983. Il connaît la maison et l'homme par cœur. C'est lui qui, en 1987, va l'inciter à faire de la photo et à réaliser les campagnes. Karl avait une confiance aveugle en lui. Éric a toujours gardé un esprit juvénile malgré ses responsabilités. Une vraie amitié se crée entre nous. On fait de nombreux voyages, je lui raconte mes histoires de filles, le deuil de Khemis, celui de ma mère, mes doutes, nos rigolades… En tant que directeur de l'image de Chanel pour la mode, il a des responsabilités totalement différentes mais passe comme moi beaucoup de temps avec Karl. Au même titre, il est témoin de ses changements, de looks notamment. Mais Éric, lui, change peu, il est toujours en jean, chemise blanche, bronzé, une sorte de dandy canaille sur lequel comme nous autres se poseront les vestes Dior Homme signées Slimane. Il m'apprend à bien vivre. Il amène une certaine rondeur partout.

Le 19 février, jour de la mort de Karl, je l'appelle pour qu'il vienne à l'hôpital américain. Avec Virginie Viard, il fait partie des très proches.

La deuxième bande d'avec Karl Lagerfeld

Ange est issu d'une famille de forains. Il a eu très longtemps la baraque à gaufres et crêpes à l'entrée du jardin des Tuileries, côté place de la Concorde. Toute sa famille a des stands pendant la fête des Tuileries. Ange, c'est le forain chic, avec du goût, qui a réussi. À force de se croiser (il habite rue Saint-Honoré) chez Colette et Au Pain Quotidien, place du Marché-Saint-Honoré, on a fini par sympathiser. En 2006, on sort beaucoup ensemble lorsqu'on est célibataires l'un et l'autre. Karl savait que c'était un de mes amis. Grâce à Ange, il a pu monter sur la grande roue privatisée pour lui, faire des photos de Paris depuis le point le plus haut ou pendant la fête des Tuileries. Karl l'aimait bien. Ange a dîné avec nous parfois.

Un jour, fin 2004, on va au VIP Room des Champs-Élysées pour un shooting de Karl ; c'est la première fois que j'y vais. Je dis à Jean-Roch que j'adorerais revenir dans la boîte. Je pense à mes poteaux, je compte les y emmener. Dix jours plus tard, on se pointe avec William et Saber (deux bons gabarits tout en muscles), tous les trois on est loin de ressembler aux minets parisiens. Ça fait déjà un bout de temps que je travaille avec Karl, mais j'ai encore la tête d'un gars du Val-d'Oise. À cause de ça, jusqu'en 2005, je n'ai pas pu mettre un pied dans les boîtes de Paris que grâce à mon pote Éric qui travaille pour Hubert Boukobza, le propriétaire. On arrive donc devant la physio et on est recalés direct. Je m'y attendais mais j'ai la carte de Jean-Roch. Je lui passe un coup de fil sur-le-champ, lui explique qu'on ne veut pas me laisser entrer. La physio finit par accepter mais sans mes deux potes. De rage, je jette sa carte.

À l'été 2005 à Ramatuelle, aucun invité de la maison de Karl ne veut sortir. Dans la rue à Saint-Trop, je tombe sur un pote, Selim. Il habite chez des amis avec un groupe de danseurs. Ils ont leur entrée au VIP Room de Saint-Trop. Je sympathise rapidement avec les mecs de la sécu, mais je ne veux pas aller voir Jean-Roch après la déconvenue de Paris.

Un an plus tard, en 2006, on vient s'installer à la villa 16 louée à l'année. C'est un vrai déménagement : meubles, livres... Les gars de la CST, des potes de Gonesse, sont avec moi. J'appelle la bande de Selim et les danseurs et je rappelle Jean-Roch avec qui j'ai sympathisé à Paris entre-temps. Je suis accueilli à bras ouverts. Sur la table que nous a réservée Jean-Roch, des sodas, de l'alcool... Il nous invite. Par la suite, on aura toujours une table réservée. On est en mode gamin, on danse, on déconne. Ce soir-là, un type décide d'offrir des bouteilles de champagne à tout le monde, c'est-à-dire à peu près quatre cents personnes. Mes amis musulmans disparaissent en un éclair dès que les premières batailles de champagne commencent. Je viens de faire livrer pour deux mois la Mercedes cabriolet SL 55 AMG avec laquelle on est rentrés à six ou sept vers 6 heures du matin. On est tous pétés. Le lever du jour est sublime. Tout est magique.

En 2007, à Saint-Tropez, alors que Karl dîne chez les Arnault qui sont dans leur maison des Parcs, tout le groupe veut sortir. Antoine, son père Bernard et sa belle-mère Hélène ainsi que leur fils, le jeune Alexandre, veulent aller aux Caves du Roy. C'est blindé. Au bout d'un quart d'heure, ils décident de repartir. Karl et Bernard Arnault me demandent où il faut sortir à Saint-Trop. Je leur parle du VIP et de Jean-Roch, bien sûr. Hélène Arnault suggère qu'on aille y faire un tour. Alexandre lui aussi plaide pour le VIP.

J'appelle Jean-Roch, tétanisé. Karl y va pour la première fois. Et en plus avec Bernard Arnault et sa famille, leurs amis et leurs gardes du corps. J'ai une grosse pression. Jean-Roch n'en revient pas. Lorsqu'on arrive, je ne suis plus du tout en mode gamin, là c'est sérieux. Tout se passe très bien. On reste une heure. Le personnel et la sécu découvrent un peu la réalité de ma vie alors que jusque-là, je ne suis venu qu'en tant que pote de la banlieue.

Notre amitié avec Jean-Roch est née ainsi. Une amitié balèze, à la vie à la mort.

Massira

Il est mon jumeau, version malienne. D'ailleurs, il dit en riant que je suis aussi Malien que lui. Je le rencontre à Saint-Tropez où il vient en vacances. Dans le 78, il travaille dans un centre social, un foyer pour les sans-abri, les réfugiés politiques et les prisonniers en voie de réinsertion. Il est éducateur mais également rappeur sous le nom de H Double L. C'est un noctambule qui connaît toutes les boîtes mais ne boit ni ne fume.

C'est un fou de sport de glisse, sur l'eau ou la neige. Il partage tout, tout le temps. C'est son rapport au monde, sa vie est fondée là-dessus, sans se poser de questions, sans être une poire non plus. Dès 2006-2007, on vient tout le mois de mai à Ramatuelle avec Karl. Ces soirs-là, je file au Festival de Cannes après ma journée et j'y retrouve Massira. On y fera les quatre cents coups.

John Mamann

Hiver 2009-2010, une tempête sur Saint-Martin, dans les Antilles. J'arrive le 31 décembre chez Jean-Roch à Saint-Barth où John Mamann est en vacances. On loge dans la même chambre chez Carole, la patronne du Ti Saint-Barth avec qui Jean-Roch s'est associé pour lancer le VIP sur l'île. Ici, toutes les nuits, sévissent les « oiseaux », des mecs qui dépensent des fortunes en champagne dans les boîtes. Je connais John depuis dix ans maintenant, il est chanteur et compositeur. Entre deux concerts de Beyoncé organisés par un des fils de Khadafi, je tombe sur Lindsay Lohan en vacances. Je la connais depuis quatre ans, je l'ai rencontrée par Ingrid Sischy avec Karl qui l'adore. Au VIP Room, un type la harcèle. Elle me cherche dans la boîte et me tanne pour que je le défonce. Je sais qu'elle exagère mais c'est une amie donc je compte parler au gars qui s'avère introuvable. Vers 4 heures du matin, tout le groupe de Lindsay veut bouger sur le bateau sur lequel elle loge et où elle nous jure qu'il y a une fête. Ma hantise est d'être bloqué quelque part. Avec John, on hésite. Sur le zodiac, on n'est plus que cinq. J'imagine que le bateau va être plein. On s'approche d'un immense yacht. John et moi on est hyperimpressionnés. Manque de chance, on le dépasse et on arrive sur un bateau beaucoup plus petit, caché derrière. Là, rien.

Aucune fête promise par Lindsay. On monte sur l'*upper deck*. Ça sent le mauvais plan. Au bout de trente minutes, on demande à repartir. Pas de bol, l'équipage dort. Dans un salon, on s'allonge sur des *daybed*. Il est 4 heures du matin, je me sens pris au piège. Puis le jour se lève. Je vais exploser. Celui qui est de garde sur le bateau finit par réveiller un matelot qui nous ramène à terre. Tout se termine au Bar de l'oubli, le bien nommé. Ces dix jours fusionnels à Saint-Barth nous ont liés à vie avec John. Par la suite, je deviendrai même proche de ses parents avec qui j'ai eu le plaisir de partager plusieurs shabbats.

Mourad, Khalid, Hallal sont tous les trois danseurs et travaillent pour Gérard Presgurvic. Contre toute attente, on tombe les uns sur les autres à Saint-Trop à l'été 2005. Je les présente à mes autres amis. Mourad, Khalid et Hallal font partie d'un groupe nommé Fantastik Armada qui fédère des sportifs et danseurs de haut niveau. Avec eux, on déconne de façon bon enfant. Ils m'incitent à danser. Ça libère en moi la version « gentille » de Seb. Ils savent que je m'occupe de Karl mais ils s'en foutent un peu. Plus tard, quand Karl viendra au VIP Room, il les invitera à sa table. Ils feront danser

Amanda Harlech aussi. Le partage, l'amitié, les valeurs nous soudent.

Mourad, quelques années plus tard va, grâce à moi, travailler pour Karl en m'assistant pendant les vacances à Saint-Tropez. Karl lui confiera finalement le gardiennage de la maison de Louveciennes. Il savait que c'était quelqu'un de bien.

Vince, Tarek, Yannick ainsi que les frères Momo et Enson travaillent tous chez Colette. Vince, Yannick et Momo sont serveurs au restaurant tandis que Tarek et Enson sont responsables de deux départements différents dans la boutique. Je les vois tous les jours. On sort ensemble trois ou quatre fois par semaine, dont la sortie obligatoire du samedi lorsque Karl va chez Colette faire du shopping. Il les connaît donc très bien et sait que ce sont mes amis. C'est Vince qui me présente V. Ils n'ont jamais poussé Karl à la consommation. Lorsque Karl avait voulu donner tous ses vêtements à une association en faveur des démunis ils ont été refusés car c'était des vêtements de marque et que ça leur posait un problème. C'est pour ça que Karl me donne ses vêtements, il sait que je fais des distributions. Mes potes de Colette vont ainsi se partager son vestiaire avec joie.

Marco Marzilli, propriétaire du joli restaurant Anima et ancien assistant des Daft Punk, m'a été présenté par Jean-Roch. Il a des bonnes *vibes*, il est sportif comme moi, il fait du jujitsu, possède une sorte de raffinement. C'est un vrai charmeur. D'ailleurs, il est sorti avec H., une très belle actrice américaine, à l'époque où elle a joué dans un des plus gros succès de Clint Eastwood. J'aime ces connexions de hasard. J'aime les rassembler. Avec son pote Farid, un colosse tunisien, aussi gentil que smart, on forme un trio. Mes horaires spéciaux, ma vie hors du commun, ma base parisienne leur correspondent.

Aurélie commence en 2001 chez Chanel à la section sport avec Pascal Braud. On connecte tout de suite. Le bureau du département sport me sert de base quand j'attends Karl. Aurélie est issue d'une famille bourgeoise mais possède un côté caillera. En fait, Aurélie, c'est moi en meuf. On parle le même langage. À l'époque, elle sort avec un coiffeur qui bosse pour Odile Gilbert, un mec du 94. Comme elle commence à venir beaucoup sur les shootings on se voit de plus en plus. Avec le temps, elle devient quelqu'un à qui je me confie sur ma vie sentimentale, ma santé, mes états d'âme. Karl l'aime beaucoup et sait que c'est une très bonne amie. Son côté garçon manqué lui plaît. Elle n'a pas peur. Son mari est devenu un ami et mon avocat.

Rachid, c'est le cas à part. Il a neuf ans de plus que moi et fait beaucoup de sport. Je le rencontre dans une salle de sport où je ne parle à personne. Tous les matins je fais du sport avec lui. Il a eu une enfance très dure dans une banlieue du 78. Il a fait de la prison. Mais c'est un vrai gentil, un peu *old school.* Je l'emmène souvent chez Colette et il vient passer une semaine à Ramatuelle avec moi. Même Karl me dit qu'il le trouve beau. Grâce à lui, je rencontre Farid dit Fafa, qui vient du 95. On connaît plein de gens en commun. Fafa est très discret, très doux et très sportif aussi. Tous mes potes me rendront d'une façon ou d'une autre la générosité qui nous lie.

Avec Brice, on est nés la même année. Il vient d'une cité très chaude de Corbeil-Essonne et est devenu ingénieur. Mais il lâchera tout ça pour devenir champion de France, d'Europe et du monde de boxe anglaise. À Paris, je ne connais rien aux salles de sport chics avec piscine, sauna, hammam, également fréquentées par des filles. Je découvre donc tout ça dans une salle de la porte d'Auteuil. C'est là que je rencontre Brice, en 2004. Sa façon de s'entraîner m'intéresse. Il m'apprend qu'il donne des cours de boxe anglaise. À cette époque, je suis déjà monté sur des rings. Je me vante d'être une machine sur un ring mais lui, c'est un Terminator ! Il est doté d'une puissance, d'une rapidité et d'une endurance exceptionnelles. On commence à s'entraîner ensemble. Je deviens peu à peu le *sidekick* de ses entraînements, bénéficiant gratuitement de son savoir. On a deux caractères très forts et indépendants. Il gardera tout au long de sa vie sa rage qui lui vient des cités. Moi, je me calme grâce à ma nouvelle vie. Il me fait évoluer sur le plan sportif, me pousse à être plus dur, à me dépasser et à devenir plus cérébral. Avec Brice on a développé un tapis qu'on commercialisera à petite échelle. Karl le rencontrera aussi, bien évidemment.

Un jour, on shoote au studio de l'Olivier à Clamart. Dans la voiture, Karl vient de me parler du projet Iconoclast auquel Delphine Arnault l'invite à participer pour la marque Louis Vuitton. Rei Kawakubo, Marc Newson,

Cindy Sherman et d'autres font partie du casting de ce *group show* exceptionnel. Karl est très excité. Coïncidence, dans le bureau qu'on lui donne au studio de l'Olivier, est pendu un sac de frappe. Soudain, au milieu de la journée, il me demande ce que je pense d'en réaliser un en toile siglée Louis Vuitton avec sa malle pour le transporter ainsi que les gants de boxe et leur écrin. Il me montre ses croquis, me demande mon avis. Il se rappelle que je lui ai parlé du tapis de déplacement conçu avec Brice et me dit que ça serait formidable de faire ce tapis chez Vuitton. Je n'y crois pas, je rêve. C'est trop beau. Delphine Arnault va adorer l'idée. Le projet sera réalisé pour Louis Vuitton via la société Smart Idea Agency que nous avons montée avec Brice. L'ensemble va être lancé à New York, au côté des créations des autres designers et artistes invités, lors d'une énorme soirée de lancement. La série limitée sera intégralement vendue dans les boutiques Louis Vuitton. Karl me demande combien nous avons été payés par Vuitton, Brice et moi. Il plaidera pour que Smart Idea Agency soit beaucoup mieux rémunérée. Et ce sera fait.

Paps est à la fois vendeur chez Colette et photographe. Il vient des ghettos de Paris, quartier Danube, des 19e et 20e arrondissements. Karl, quand on arrive chez Colette, dit bonjour à tout le monde. Lorsque je lui présente Paps, je lui explique qu'il fait des photos de la nuit, des gens, de la street, entre Gordon Parks et Doisneau. Lorsque Karl découvre le travail de Paps, il le compare à celui de François-Marie Banier mais sans pose, la vérité en plus. Il fera un livre de photos publié chez Indeez et lancé chez Colette. Karl aurait aimé faire un livre avec lui, malheureusement le projet n'aura pas le temps de se faire.

On se rencontre chez Colette avec Cyril Bismuth, le fondateur de la marque de bijoux Aaron Jah Stone. Ses beaux-parents ont une maison à Sainte-Maxime, on se voit donc l'été à Saint-Trop. J'aime les créations de Cyril, j'en offre à Karl pour son anniversaire. Il adore et en porte beaucoup par la suite. Je passe certains shabbats chez Cyril et aujourd'hui, c'est toujours un frère pour moi.

C'est lui qui me présente un artiste que je vénérais, Cyril Kongo, tagueur. Il a entièrement repeint une réplique de l'avion d'Antoine de Saint-Exupéry. Je suis tellement enthousiaste que j'envoie une vidéo à Karl. Il en parle à Virginie Viard qui organise un rendez-vous avec Kongo. Karl le briefe sur la future collection qui sera présentée au Metropolitan Museum de New York en décembre 2018 et le charge de produire des toiles pour le show. En 2017, Karl a acheté un petit atelier d'artiste quai Voltaire donnant sur les toits de Paris qu'il met à sa disposition. Là, Kongo créera une douzaine de toiles. Les codes de l'Égypte, les chiffres de la numérologie chère à Kongo et les couleurs vont devenir un imprimé que Karl va décliner en vêtements sur le podium du défilé de New York.

Arnaud dit aussi Nono est d'abord le meilleur ami de J. avant de devenir mon ami. Même après notre séparation avec J., je reste en contact avec lui. Ce qui agacera J. C'est avec lui que je suis, le jour où Karl m'annonce ses tout premiers problèmes de santé. Il est lié à cet instant où le destin bascule, sur la plage de Pampelonne.

Laurent Pariente, je l'ai aussi rencontré par J. Il a, comme moi, des problèmes d'acouphènes. Il me conseille sur la façon de les soigner, m'incite à méditer, à prendre du recul. Il est d'une gentillesse énorme. Il est dentiste mais le rêve de sa vie est d'être comédien, il fait d'ailleurs du théâtre en amateur. Il me convainc de commencer également le théâtre pour me détendre. Il me soutiendra énormément lorsque Karl ira mal.

Laurent Bliah, je le connais dans le hub Colette où je passe énormément de temps. Il vend du mobilier et des œuvres d'art contemporain et les collectionne. Quand je suis à l'hôpital pour ma fracture de vertèbres, il sera parmi ceux qui répondront présents.

Avant de rencontrer Richard Virenque, je ne suis jamais monté sur un vélo de course de ma vie. Un de mes meilleurs potes de Ramatuelle a monté une entreprise d'entretien pour les villas de Saint-Trop, Richard est son client à l'époque. Un jour, Aurélien me dit qu'un ami à lui aimerait essayer le *fly board*, il s'agit de Richard. C'est comme ça que tout commence. Puis, l'hiver 2013-2014, lorsque je loue une maison à Saint-Barth, je tombe par hasard sur lui et sa femme Marie-Laure. Il n'a pas encore sa maison à Saint-Martin mais aimerait refaire du *fly board*. Je l'emmène. En attendant que les autres aient fini leur séance, on se raconte nos vies sur le Jet Ski. Sur la Côte d'Azur, il va me mettre sur un vélo de course. Ensemble, on fait des parcours de 80 kilomètres. Quand nous traversons Cavalaire, tous les gens le reconnaissent. Je me dis, ça y est, ça recommence, comme avec Karl, je ne peux pas sortir sans me retrouver à côté de quelqu'un qu'on reconnaît dans la rue. Beaucoup de choses nous rapprochent. Certains aspects chez lui me rappellent Karl, d'autres Khemis.

Lorsque je suis avec J., je fais tout le temps du vélo avec son père Olivier, à Ramatuelle. Chaque fois, on s'arrête chez ses amis Didier et Iris, qui ont une maison là. Le rituel avec Olivier, c'est d'ouvrir leur porte et de réclamer son café. Moi qui ne les connais pas, je trouve cette blague récurrente sympathique. Peu à peu, je vais inciter Didier à nous rejoindre à vélo. Iris nous prépare des cocktails de fruits frais. Même après ma séparation d'avec J., je reste proche de Didier et Iris. Pour moi, ils sont la famille en or, un couple modèle, parents de trois filles charmantes avec lesquelles ils partagent tout. Ça me fait rêver. Ça respire le bonheur. J'ai bien conscience que ça console quelque chose en moi. Je les ai fait inviter au dîner *Vanity Fair* où Karl reçoit, à chaque Festival de Cannes, chez Tétou, lorsque ce restaurant de bouillabaisse existait encore.

Quand je commence à travailler pour Karl, il y a déjà un service de sécurité qui s'occupe de Chanel. Sur les défilés, je place en renfort Christophe et Boris qui arrive dans la bande en 2002. J'ai un bon feeling avec Boris. Je demande à chaque fois qu'il vienne s'ajouter à notre équipe. Il y a beaucoup de fanfarons dans ce métier, mais je vois tout de suite que Boris est déterminé et fiable. Dans la sécurité, c'est essentiel. Lui aussi est passionné de boxe. On commence à se voir en dehors des événements Chanel. À partir de 2005, on fait le Festival de Cannes ensemble. Au cours des fêtes, on se retrouve souvent dans des situations rocambolesques. Karl va adorer Boris car il sent qu'il y a une bonne cohésion entre nous. Sur les événements hors de France pour Chanel et Fendi, je l'emmène également. Boris est un frère pour moi.

Nagui, un Hongrois et ancien légionnaire, videur au VIP Room, me demande de rencontrer Tibor, lui aussi Hongrois et ancien légionnaire, qui a déjà géré des situations de guerre. Vers 2009, je pense à monter une équipe qui gérera la sécurité de Karl, cinq ou six personnes supervisées par Tibor qui pige en deux secondes les codes de la mode et de l'industrie du luxe. J'en parle chez Chanel et on me donne le feu vert. C'est Tibor qui embauchera Boris dans sa boîte. Jamais je n'ai pris de commissions nulle part, question d'éthique et de tempérament. En 2013, Tibor va me proposer de m'associer avec lui dans sa boîte de sécu alors que je ne lui ai jamais rien demandé. J'accepte. Tibor me remet à la pratique des armes, chose que j'avais déjà faite à l'armée. Lors de l'événement La Petite Veste noire de Chanel en 2013, ce sera très utile. Ça se passe à Sao Paulo au Brésil, où l'on sait tous les dangers qui vont avec. Avec Tibor, c'est notre première mission importante à l'étranger. Lui et moi, grâce à un port d'arme légal, nous sommes officiellement armés par la police, ce qui rassure Karl. Tibor a monté en amont une équipe de sécurité paulista, en voitures blindées. Karl n'est pas la seule cible potentielle, toutes les personnes autour le sont aussi. On extrapole les pires situations, ça fait partie du métier. On limite au minimum les déplacements au sein de la circulation dantesque de Sao Paulo.

En 2018, Boris entame une radiothérapie, il se bat contre un cancer, alors que Karl a déjà commencé son traitement. Ce dernier s'enquiert de la santé de Boris et multiplie les gestes de soutien à sa famille. J'emmène Boris à Louveciennes pour qu'il se repose. En décembre 2018, comme il va mieux, je veux le faire venir sur le défilé Chanel à New York au Met. On a trouvé une salle de boxe *downtown* où on va s'entraîner. En janvier 2019, il se fait opérer. Les lendemains seront difficiles mais malgré tout, le 22 février, il sera à mes côtés à la maison funéraire avant que je ferme le cercueil de Karl.

Chez Chanel

Je croise pour la première fois Marie-Louise de Clermont-Tonnerre lorsque je commence ma mission à plein-temps au côté de Karl. Elle ne sait pas qui je suis et s'en fout totalement. Moi non plus, je ne sais pas qui elle est mais je comprends vite qu'elle est importante. Elle dirige alors la communication de la maison de couture. Un jour, elle me dit, en s'adressant à moi et d'autres gardes du corps : « Vous les affreux, sortez de là. Il y a une photo… » Elle met tout le monde dans le même sac, de façon assez désagréable. Elle me parle durement. Je sens que ça part mal. La présidente de Chanel, Françoise Montenay, contrairement à elle, me parle toujours avec douceur. Mais comme Marie-Louise a besoin de Karl tout le temps pour l'image et les relations publiques de Chanel dont elle s'occupe, il voit ma tension monter. « Surtout tu ne la tapes pas ! » me dit Karl. Avec le temps, elle finit par réaliser que je suis bienveillant, que je protège Karl, qu'il va falloir passer par moi pour le voir. C'était avant l'époque des portables. Peu à peu, je découvre qu'elle aime rire. Je lui trouve beaucoup de classe. Comme à bien des gens, j'ai dû lui cacher l'état de Karl jusqu'au bout. Marie-Louise l'a compris. Début 2020, elle a perdu sa mère et m'a demandé comment j'avais fait pour faire mon deuil d'une figure qui était comme un père pour moi. Elle réalisait la portée de mon deuil et de ma présence auprès de Karl. Après sa disparition, elle m'a surpris, elle a pris de mes nouvelles et fait attention à moi. Elle m'a beaucoup touché.

Virginie Viard ne parle pas beaucoup. Sur ce plan, on est un peu pareils. En Corée, pour le défilé à Séoul en 2016, je l'ai vue répondre à Karl comme jamais personne ne l'avait fait. Elle avait tellement de pression et Karl l'avait poussée trop loin. Sa collaboration avec lui depuis trente ans, au cœur du studio Chanel, l'y autorisait. Elle était en permanence en contact avec lui même en dehors du studio. Au Bal de la Rose à Monaco, on partage avec Virginie des obligations en étant sur la même longueur d'onde et des moments cocasses. À cause du retard de Karl, elle et moi on se change dans la voiture. Au même titre que moi, elle est tributaire de son timing. Virginie, qui est également une amie de Caroline de Monaco, pouvait faire un aller-retour en avion privé à Saint-Rémy avec Karl simplement pour passer une après-midi avec la princesse dans sa maison provençale.

Quand j'arrive chez Chanel, Bruno Pavlovsky n'est pas encore président des activités mode. Il est le boss que tout le monde aimerait avoir. Son grand-père ou son arrière-grand-père a construit le phare de Biarritz. Quand on y est, il vient de temps en temps déjeuner à la villa Elhorria. On court ensemble, d'Anglet à Biarritz. Le sport nous rapproche. Il est ouvert, nature, respectueux, très accessible. On se retrouvera bien sûr beaucoup dans les voyages Chanel d'une façon ou d'une autre. Il est aussi très proche d'Éric Pfrunder et de la mère de mon ex-petite amie M., Pascale, alors directrice de la boutique Cambon. Il me perçoit par différents biais. Cela multipliera nos affinités. Au début de sa maladie, Karl lui-même préfère que je ne parle pas à Bruno. Celui-ci devine bien sûr ce qu'il se passe mais reste très discret. La confiance qu'il me fait lui évite de me demander des rapports. Dès janvier 2019, je l'informe de la gravité des choses. Il me laissera gérer jusqu'à la fin.

En 1996, la CST installe la Lagerfeld Gallery. La fille à l'accueil s'appelle Sandrine et est plutôt jolie. Je ne suis que manutentionnaire alors. Ça me fait plaisir de la croiser. Elle devient rapidement secrétaire de Karl chez Lagerfeld Gallery, puis il la fera travailler chez Chanel. Elle me verra jusqu'au bout évoluer.

Je suis encore chauffeur-livreur en 1996 ou 1997 lorsque je rencontre Pascal Brault, et son compagnon Lulu, Stéphane Lubrina. Karl me photographie au studio photo du 51, rue de l'Université. Pascal Brault s'occupe de la retouche photo. C'est à cette occasion que Karl s'apercevra que je ne suis vraiment pas mannequin et que je ne le serai jamais. Tout était parti d'une blague. En déménageant la villa Jako à Hambourg avec les gars de la CST, les collègues pour me charrier ont lancé devant Karl : « Seb rêve d'être mannequin. » C'était bien sûr faux et ça m'agaçait mais répondant à une blague par une autre, Karl a déclaré qu'il allait faire des photos. Et on les a faites à Paris.

Je vois Pascal sur tous les shootings. Il est très drôle, très méchant, toujours avec esprit. Puis chez Chanel, il va développer le département sport et arrêter son activité de retoucheur. Pour un de ses *lookbooks*, Pascal me prendra pour sa collection de sport en tant que mannequin. C'est aussi un moyen pour lui de faire plaisir à Karl, je le sais bien. Avec lui, c'est la première fois que je vais à Saint-Barth. Son mec, Stéphane Lubrina, l'attend là-bas. La découverte des lieux est magique : un bateau cigarette nous récupère de nuit à la sortie de l'avion à Saint-Martin. Mer d'huile. Chaleur sublime. Sur le bateau, musique, pleine lune. Je suis ébloui. Là-bas, on retrouve la mère et la sœur de Lubrina mais aussi Michel Klein et son *boyfriend* qui louaient une autre maison. Au milieu du luxe de Saint-Barth, je découvre la vie des couples gay branchés. Pascal peut être irrésistible d'humour au scalpel.

Je croise la princesse Caroline de Monaco de loin lorsque, avec la CST, on manutentionne à La Vigie ou dans l'appartement, quand elle est avec Karl avec qui elle est très amie. Elle nous dit toujours bonjour.

À Biarritz, je la revois vers l'an 2000 lorsque je suis au service de Karl. Ils sont venus à plusieurs, Charlotte et ses copines, Pierre et Andrea et leurs copains. Je trouve Charlotte absolument magnifique, mais bien sûr je n'ose rien. Les enfants sont vraiment cool. Avec Pierre et son copain, c'est surf, Jet Ski et sorties. Plus tard, même chose avec Andrea. Ils viendront plusieurs fois à Biarritz où on partagera des situations loufoques. Pierre m'oblige à aller surfer un jour où le drapeau est orange sur la plage à Biarritz. Le loueur de planches refuse, mais Pierre insiste. Je redoute un peu la situation quand même. En une heure, on a manqué se noyer vingt fois. On finit par abandonner. Comme moi, Pierre aime repousser les limites. Au petit matin, en sortant de boîte bien éméché, il se déshabille sur la plage et fonce dans l'océan, en pleine tempête, en me criant que je suis son garde du corps et que je dois aller à la mer avec lui. Je ne bouge pas et le laisse y aller. Il se fait massacrer par l'océan mais je ne cède pas. Il ressort de l'eau hilare.

Avec le temps, je vais souvent croiser Caroline entre Monaco, Paris et Saint-Tropez. Dès qu'on est à Monaco, c'est pour la voir. Françoise

Dumas est souvent là. Parfois, on dîne à trois avec elle.

À chaque Bal de la Rose, je suis assis à la table de ses enfants, qui représente une des trois tables principales avec celle de Caroline et celle du prince Albert.

Pour le mariage du prince Albert le 1er et le 2 juillet 2011, Karl veut que je l'accompagne. J'y assiste, pas seulement en tant que garde du corps, mais en tant qu'invité de la famille de Monaco. L'étiquette vestimentaire est très stricte et Karl insiste pour qu'on se fasse faire des habits sur-mesure chez Dior. Un pour la cérémonie, un autre pour le soir. Lui et moi portons exactement les mêmes tenues. Bernard Arnault lui aussi a le même costume que nous. Moi, gars des quartiers, je suis habillé comme eux, je n'en reviens pas. Les chefs d'État sont là. Dans la cour du palais, pendant la cérémonie, Karl est assis avec les Arnault, je ne suis pas très loin. L'organisation où tout est minutieusement pensé fait qu'on n'a pas besoin de toucher une voiture. Ce jour-là, je ne suis pas chauffeur.

Je vais revenir à Monaco, pour le mariage d'Andrea avec Tatiana Santo Domingo, où je suis invité. On arrive de Saint-Trop avec Karl. À la soirée du mariage, je suis assis à côté de

Gad Elmaleh qui était alors le compagnon de Charlotte. J'ai toujours été touché de l'attention que la famille monégasque m'a portée.

En 2015, nous sommes aussi invités avec Karl au mariage de Pierre Casiraghi et Beatrice Borromeo. Mais nous n'avons malheureusement pas pu aller au mariage civil au Sporting Monte-Carlo. En revanche, J. y va et je la rejoins, sans Karl, pour la cérémonie religieuse sur le lac de Garde. Karl m'a confié une extraordinaire broche ancienne à offrir à Beatrice. Il m'offre le voyage en avion privé. J'arrive seul en jet, un chauffeur m'attend, je suis sur une autre planète. Ce sont des choses qu'on réserve d'habitude à Karl. Cette fête, les détails, le luxe, Karl m'offre de les vivre pleinement… je n'en aurais jamais rêvé.

Après la disparition de Karl, j'ai relaté à Caroline ses derniers moments. Elle sera celle avec qui il fera son ultime dîner, en dehors de notre tête-à-tête. Je serai à la table avec eux, comme c'est souvent arrivé. Après ce soir-là, elle ne me posera pas de questions, sa grande intelligence sait sans rien dire. Au cours de ce dernier dîner, rue des Saints-Pères, Karl a voulu offrir un bijou Belperron à Caroline. Seule mon empreinte digitale peut ouvrir le coffre mais lors de la soirée, le coffre refuse de s'ouvrir. Karl est agacé. Une semaine avant, il avait planifié qu'on le laisse là, pour la princesse.

Ce bracelet fait partie d'une des choses que Karl a laissées à la princesse de Monaco à son décès.

Je serai invité aux deux cérémonies de mariage civil de Charlotte de Monaco avec Dimitri Rassam. C'est la première fois que je côtoie tous ces gens, orphelin de Karl, même si quelques mois plus tôt j'ai été invité au Bal de la Rose dont il était le directeur artistique, sans lui. Je ne peux y assister car je dois être à Shanghai pour Fendi. Mais j'arrive tout de même juste à temps pour le brunch du mariage le dimanche. En juin, j'assiste à leur mariage religieux près de Saint-Rémy. Deux jours magiques, dans le sillage de Karl, absent pour toujours.

Pharrell Williams, Virgil Abloh, Kanye West

Quand on rencontre Pharrell Williams à New York, on est au Mercer. Je suis impressionné mais je le trouve arrogant. Karl pense comme moi, sa première impression n'est pas bonne. La deuxième fois, plusieurs années après, nous sommes à nouveau dans le lobby de l'hôtel lorsque Pharrell qui arrive à ce moment-là me dit bonjour. Il me demande s'il peut parler à Karl. L'attitude est totalement différente, beaucoup plus humble et sympathique. Mais de retour à table, Karl à qui je raconte notre échange, me demande sans détours : « Qu'est-ce qu'il veut celui-là ? », avant que Pharrell ne vienne le saluer. Une fois qu'il est parti, il me questionne : « T'en penses quoi de Pharrell ? » Je lui dis que je l'ai trouvé moins arrogant. « Je me demande si je ne devrais pas faire un truc avec lui ? » dit Karl. Je lui conseille alors de le faire rapidement. Trois mois après, Pharrell débarquait dans la galaxie Chanel. Pharrell sait que la deuxième fois qu'il est venu au Mercer, son attitude et la mienne ont été la clé dans le fait qu'il est arrivé chez Chanel en tant qu'ambassadeur et effigie de certaines campagnes publicitaires.

Bien avant, j'avais rencontré Kanye West, grâce à la boutique Colette, et Virgil Abloh, lorsque ce dernier le conseillait pour la mode et qu'il signait alors ses premiers modèles Off-White. Virgil m'a fait penser à une sorte de Karl Lagerfeld des débuts, un génie touche-à-tout avant la suite qui démentira la comparaison. Kanye meurt d'envie de faire quelque chose avec Chanel et Karl qui a photographié Kim Kardashian enceinte… Une année, Kanye enregistre avec Jay-Z l'album *Watch the Throne* en partie dans un studio installé au premier étage du Mercer Hotel. Par hasard, Karl et moi y sommes aussi et la suite de Karl est au même étage. Pendant plusieurs jours, ça sent l'herbe dans le couloir et on entend le son à fond. Un soir, Karl se demande ce qu'il se passe. Je l'emmène donc dans la suite où Kanye enregistre. Pour lui et sa génération, Karl est un modèle absolu. Il y a même une sorte de dévotion, d'idolâtrie. Il est leur rock star. Et la mienne aussi.

Un soir, quelques années plus tard, toujours au Mercer, un des mecs de la sécu de Kanye me dit qu'il aimerait me parler. En fait, Kanye veut faire écouter à Karl un des morceaux qu'il vient d'enregistrer. Je passe le message à table. Amanda Harlech est là. « Ah, on ne peut pas être tranquille ! » râle Karl, mais je sais bien que ça lui fait plaisir. Kanye vient lui-même à notre table faire sa demande. Karl s'étonne : « Vous avez des enceintes dans votre chambre ? » Kanye répond non, ce sera dans sa voiture, dehors. Je sais que je vis une scène mémorable. Amanda, Karl et moi rejoignons la Maybach de Kanye devant le Mercer. Karl, qui déteste ces voitures, s'assied à l'arrière, Amanda du côté passager avant et Kanye demande à son chauffeur de me céder sa place, au volant. Kanye s'assied derrière moi, à côté de Karl. Dans le rétroviseur, je le vois tout raide. Le système audio ne marche pas au début. Kanye me demande de monter le son. Le premier titre passe mais il l'interrompt : « Non, celui que je veux vous faire entendre, c'est ça. » Et là, commence un truc comme une marche militaire. Le son est très très fort. Kanye saute sur place en rythme sur la banquette de la Maybach, complètement dans sa musique. Mon Karl tout droit, ne bouge pas, derrière ses lunettes noires, il fixe le dossier du siège de devant. Quand le morceau s'arrête enfin, Karl lâche : « *Very good. Can I go back to the hotel now ?* »

Plus tard, pendant la séance de présentation des candidats au LVMH Prize qui récompense les jeunes créateurs, j'ai guidé Karl, qui fait partie du panel des juges, vers le stand de Virgil Abloh. Je lui ai bien expliqué de qui il s'agissait, je veux être sûr qu'il aille le voir, je lui parle d'Off-White… C'est comme ça qu'il l'a rencontré.

Les vrais frères

Avant mes 4-5 ans, je vois Lionel, le fils de mon père qui vit dans le 77, à Brie-Comte-Robert. Il a sept ans de plus que moi et vit lui aussi avec sa mère et son beau-père.

Dans la petite maison de mon grand-père paternel dans le 78 à la Celles-les-Bordes, un de mes cousins avait fait pousser du cannabis. Mon grand-père ne savait pas du tout ce que c'était. Les souvenirs que j'ai de Lionel et de mon père, je les ai là-bas. Ce sont plutôt des images. On faisait du vélo ensemble. Quand j'ai 7 ans, il en a 14. Un des amis de mon frère avait une maison au bout d'un chemin, en lisière de forêt. Il était garde forestier ou quelque chose comme ça. Ce qui nous permettait de traîner tout le temps dans la forêt.

Avant ma naissance, je sais que ma mère s'était déjà beaucoup occupée de Lionel. Un jour, mon frère qui allait vers ses 14 ans s'était pris une cuite à la vodka en voulant faire comme les grands, avait mis *Thriller* de Michael Jackson à fond. Le rire de Mickael Jackson me faisait tellement peur. Il m'avait enfermé dans la maison. De loin je revois Lionel, encore sous l'effet de l'alcool, accrochant mon vélo dans un arbre. Lorsque j'essaie de le récupérer, Lionel me vomit dessus. Je pars chouiner dans le giron de ma grand-mère. Il s'est fait défoncer, mais il était tellement pété que je ne pense pas qu'il a vraiment réalisé. Il était le roi de la roue arrière. Ma vengeance a donc été de dévisser les papillons de sa roue avant. Sa chute a été spectaculaire. Là-bas, mon grand-père chassait et dépeçait les lapins ou les moutons. On attrapait aussi les escargots qu'il faisait dégorger. Lorsqu'il est mort, je n'ai plus jamais touché un escargot. C'était des moments heureux. Après la mort de mon grand-père, je ne verrais plus Lionel pendant longtemps.

En ce temps-là, c'était compliqué avec mes demi-frères du côté de mon beau-père. Éric, Christophe et Thierry viennent de temps en temps dans l'appartement de la tour de l'avenue Jean-Jaurès à Paris. Ma mère et eux s'entendent plutôt bien. Ils habitent à Romainville à la cité Marcel-Cachin. Leur mère me garde souvent. Thierry, qui a sept ans de plus que moi, est de la même année que Lionel, Christophe a neuf ans de plus que moi et Éric en a onze ans de plus. Pour moi, ce sont des vrais grands frères et je suis plutôt content de les avoir. Mais dans ma tête, c'est très confus, je ne vois plus mon père qui a failli me tirer dessus et je comprends que mon beau-père, il faudra faire avec. Alors ces grands frères prennent une place importante dans ma vie. Celui que j'admire le plus, c'est Thierry. Il est tombé du cinquième étage quand il était petit sur une surface d'herbe. Il a été emmené à l'hôpital en urgence. Je vois en lui une sorte de casse-cou, un survivant, beau gosse, des yeux bleus, une balafre qui lui fend tout le visage depuis sa chute, stigmate d'un vrai dur. Dans la cité, quand j'arrive et que les plus grands veulent me tabasser parce que je suis inconnu sur leur territoire, la minute où je prononce le nom de Thierry, tout se calme. On me regarde avec crainte. Thierry est le caïd du quartier. Il fait de la boxe thaïe. C'est lui qui m'apprendra à recevoir des coups. Ma mère est tellement tolérante et ouverte, comme Thérèse, qu'elles deux s'occupent de tous leurs enfants, indifféremment. Christian, mon beau-père, n'a pas quitté l'une pour l'autre. Entre elles deux, il y eut une autre femme, ce qui fait que ni Thérèse ni Muguette ne sont responsables de leur séparation. Ça explique probablement le climat pacifique. Mon beau-père est aussi exigeant avec ses fils qu'avec moi, là-dessus on est à égalité. Avec Thierry, plus tard, au cours d'une conversation, il me révèle qu'avec ses frères ils ont eu une forme d'admiration et de soulagement que ce soit moi qui aie subi la dureté de leur père pendant toute mon adolescence. Enfant, j'ai connu les fiancées de mes grands frères. J'étais ébahi par la beauté de Sylvie qui était avec Thierry. Avec Willy et Diego, petits, on mangeait des glaces en la fixant, les yeux exorbités. Plus tard, j'ai appris qu'elle se battait même parfois au côté de Thierry. Dans la petite maison que mon beau-père a achetée dans le 77, on se baignait dans la rivière le Grand Morin. On faisait n'importe quoi dans cette rivière. Mon beau-père le premier. Il nous mettait à l'eau en hiver pour rigoler. Puis nous avons eu une piscine gonflable de 10 mètres sur 5. Un enfer à installer. Mon beau-père fait appel à ses amis ainsi qu'à mon oncle Jean-Claude pour l'aider. Ils m'incitent à monter sur un des côtés en cours de gonflage tandis que de l'autre, les trois adultes costauds sautent sur le boudin déjà un peu gonflé. La pression est telle que je décolle à plusieurs mètres du sol. Je retombe à moitié sur le boudin et à moitié sur l'herbe. Ma mère est ivre de rage, et tape sur mon beau-père avec tout ce qu'elle trouve.

Petit, je harcèle les grands, je n'arrête pas de faire des bêtises. Les adultes n'en peuvent plus. Un jour, chez mes oncles, Jean-Claude et Claude, qui à ce moment se construit une grosse maison sur un terrain mitoyen de Jean-Claude, je sors discrètement après le déjeuner. Mon oncle, étonné de ne pas m'entendre me cherche et me voit sur la poutre maîtresse de la maison en construction, en équilibriste à 15 mètres du sol.

Sept ans après avoir perdu de vue Lionel, c'est Éric qui un jour m'emmène le voir à Brie-Comte-Robert. J'ai 13 ou 14 ans. Il a 20 ans. On fait de la moto tout le week-end. Il est commercial dans une boîte de transport à Villepinte. On part en vacances ensemble à Saint-Cyprien. Il se met à travailler en tant que commercial à la CST. À mes 20 ans, après l'armée, en m'installant chauffeur-livreur à mon compte, je collabore avec la société. Il a décroché un client qui loue du matériel médical pour les particuliers (lits médicalisés, fauteuils roulants...).

Un jour, on m'envoie à Paris, dans le 18e arrondissement. Un lit médicalisé à récupérer. La centrale de la CST me prévient que ça ne va pas être très joli à voir. C'est au quatrième étage sans ascenseur, la vieille dame a brûlé dans son lit...

Lionel rencontre mes potes. On fait du motocross ensemble, il m'aide à progresser, c'est la seule chose sur laquelle il m'aidera d'ailleurs. Plus tard, quand Karl et moi nous nous installons à Ramatuelle, il viendra régulièrement nous voir. Il sait ce que Khemis représente pour moi et il viendra aussi en Espagne, dans la maison que je loue. Lorsque j'ai 16 ans, Lionel en a 23. À Rosas, on part dans la boîte créée par Salvador Dalí, le Rachdingue, à Vilajuïga, à côté de Cadaquès. Yann et Denis, copains de Lionel, sont là aussi. Les lumières rouges, les spectacles, j'aime bien. Sur le parking, Lionel et moi manquons de nous faire renverser par une voiture qui recule. On fait une réflexion. Le type fait demi-tour et essaye de nous écraser une deuxième fois. La troisième fois, j'envoie un parpaing sur le pare-brise. Furieux, le conducteur recule et fonce sur nous en marche arrière.

Une scène de film.

Dès 2007, lorsque Karl me loue une petite maison à La Réserve à côté de la sienne, Lionel est là. Karl le rencontre. En octobre 2007, mon frère devient père d'une petite fille, Bambou, dont il aura la garde tous les quinze jours après sa séparation avec la mère de l'enfant. Il l'éduque comme un garçon manqué, lui apprend la nature, tous les animaux. C'est un petit Mowgli. Lionel est très drôle mais n'est pas souvent là quand j'ai des coups durs. Commercial dans les accessoires et vêtements de moto, il n'est pas toujours généreux mais je l'aime quand même.

Christophe, lui, va travailler avec son père, mon beau-père donc, dans la section transport d'œuvres d'art de la CST, installée dans le bâtiment du Louvre des antiquaires. Tandis que Thierry sera chauffeur poids lourd. Il rencontrera Karl lorsqu'il fera partie des équipes qui travaillent sur ses chantiers mais contrairement aux autres chauffeurs, il ne se bat pas pour intervenir sur ces missions aux légendaires pourboires. Éric quant à lui travaillera au dispatching de CST. Lorsque je suis avec V., c'est la dernière fois que je les vois tous les trois lors d'un anniversaire avant 2012, pour les 70 ans de leur père, six ans avant son crash en hélicoptère.

À la mort de ma mère, le 9 décembre 2003, ils sont là bien sûr. Ils l'aimaient beaucoup. Thérèse est également venue. Tout le monde se rassemble comme nous l'avons toujours fait. Le seul qui ne viendra pas, ce sera Lionel, resté à Montpellier.

En mars 2020, après un week-end au White de Courchevel où j'invite Lionel et mes potes car Agnès, la directrice de l'hôtel, me chouchoute et me fait des prix très attractifs, commencent les premières mesures dues à la pandémie de la Covid-19. On passe presque tout le confinement ensemble. Il est d'emblée relou mais j'ai tellement peur d'être face à moi-même que je ne dis rien et je le laisse être là. Il n'aide presque jamais, ne veut pratiquement pas participer aux courses ni aux travaux domestiques. J'ai fini par lui demander de partir. Alors, tout est sorti : son absence à l'enterrement de ma mère, sa façon de profiter des largesses de Karl et des miennes, sa mauvaise foi… J'étais content qu'il se barre même s'il m'a fait rire parfois.

Être un enfant

J'ai 45 ans et je n'ai pas d'enfants. J'aimerais en avoir un jour mais ça me fait encore vraiment peur. Je rêve d'avoir un garçon en premier. Il veillerait sur ses sœurs. Je me comporterais comme ma mère avec moi, le mauvais en moins. Je me souviens d'elle, presque hippie au début, qui fumait des clopes en ma présence. Je ne voudrais pas d'un enfant surprotégé. Je ne changerais pas ma façon d'être. Mon seul regret concernant mon enfance c'est de ne pas avoir eu un père avec de l'amour. Si ma mère était assez absente à cause de son boulot, elle n'était pas sans amour.

Avec une femme, dès que je commence à m'installer dans une relation, je ressens la peur de l'abandon.

Le petit Hudson, le fils de Brad et filleul de Karl, a été tellement chouchouté, surprotégé et surgâté par son parrain que je disais à Karl qu'il faudrait arrêter. Il m'a répondu : « Ce n'est pas parce qu'on en a chié qu'il faut qu'il en chie aussi. » Hudson avait 11 ans quand Karl a disparu de sa vie. C'est peut-être sa chance à lui.

Les enfants de Caroline de Monaco, les enfants d'Éric Pfrunder, ceux d'Amanda Harlech, je les ai fait rêver, à un moment ou un autre, d'une façon ou d'une autre. Ce sentiment d'admiration qui m'est si important, que j'en fasse l'objet ou que je l'éprouve, si je le sens chez un enfant, j'ai gagné.

Parmi les petits-enfants de Nathalie, ma tante du côté maternel, le fils de mon cousin, Killian 16 ans, veut être footballeur pro. Il me plaît parce que c'est un mélange de bonne éducation et de fantaisie, de douceur et d'intégrité.

Karl était tellement sous le charme de Killian qu'il a voulu le faire défiler sur les shows Chanel. On l'a emmené chez Sénéquier. Je suis tellement heureux qu'il ait eu la chance de vivre une des embellies dans les derniers mois de Karl pendant dix jours à Ramatuelle, dans une intimité que si peu de gens auront vue. Karl a insisté pour emmener Killian dans le Falcon 8X payé de sa poche, pour remonter à Paris. Lorsque ses parents, qui n'ont rien à voir avec ce monde-là, sont venus le chercher au Bourget, il leur a dit combien leur fils était bien élevé.

Lorsque j'étais enfant, à part les potes de la cité, je n'ai eu que des adultes autour de moi. Des adultes très occupés en plus. J'ai eu le sentiment d'être adopté par toutes les familles de mes potes et de mes petites copines. En retour, j'ai adopté les enfants des autres, les parents des autres. Au fond, j'aurais aimé rencontrer mon Sébastien, celui qu'ont rencontré les enfants des amis de Karl. J'aurais aimé rencontrer un Seb qui m'aurait emmené surfer, faire du vélo, de la planche… Ai-je eu le temps d'être un enfant ? Oui, quand même, mais pas longtemps.

Toutes les femmes avec qui j'ai été sérieusement m'ont demandé d'avoir un enfant avec elles. Sauf J. qui clamait qu'elle n'en voulait pas. Malgré mon côté impulsif, je ne l'ai jamais fait. Pas question de refaire vivre à mon enfant la vie de tension que j'ai vécue.

La détresse affective de mon père, la façon qu'il a eue de ne pas être un père, de boire sa paye, d'être un loser s'apparente à du Zola. Mais je ne lui ai jamais dit tout ce que j'avais sur le cœur. Je n'ai aucune photo de moi avec mon père d'ailleurs.

Ce qui m'a sauvé et toujours porté c'est que j'aime la vie. Les enfants sont l'expression de cette vie. J'aime les enfants de 3 à 85 ans. Karl avait cette dimension enfantine, un enfant-roi parfois. Ce qu'il exprimait à travers Choupette relevait d'un amour infini et entier qu'un enfant porte à son animal de compagnie.

Les maîtresses femmes

Céline Degoulet, mon avocate, qui veille sur moi depuis qu'elle a commencé à travailler pour Karl via Lucien Friedlander, est une personnalité très atypique, super pro... Elle m'aide sur beaucoup de points à gérer tous mes contrats. Karl aimait dire en rigolant que Lucien rêvait qu'elle soit sa maîtresse car son côté très dur devait lui plaire. On en riait tellement avec Karl.

Chez Babeth Djian, rédactrice en chef du magazine *Numéro*, j'aime le côté Afrique du Nord, maternel, tactile, mama, enveloppante. Son côté mère juive me plaît aussi. Babeth n'a pas changé d'attitude à mon égard depuis ses débuts. C'est une femme bienveillante. Je trouve que ce qu'elle fait pour les enfants du Rwanda à travers son association est formidable. Je parraine un enfant là-bas, grâce à elle. Auparavant, je parrainais un enfant à travers l'association Muslims Hands. Karl donnait lui aussi énormément à des associations, mais il a été une association à but non lucratif à lui tout seul en aidant de multiples façons les gens qu'il croisait. Un jour je lui ai dit : « Il n'y a pas un jour où les gens vous donnent quelque chose au lieu de vous demander quelque chose ? » Il m'a répondu : « C'est comme ça, tu sais. Je tire profit aussi de ceux que j'ai en face de moi. »

Je rencontre Carine Roitfeld quand elle démarre en tant que rédactrice en chef de *Vogue* Paris. Elle n'a pas été immédiatement chaleureuse mais toujours respectueuse. Lorsqu'elle a quitté *Vogue*, elle est devenue plus humaine. Jusqu'à aujourd'hui, elle a été toujours bienveillante avec moi. On a passé la nuit ensemble en allant en Chine, dans l'avion privé avec Karl.

C'est Karl qui pousse Emmanuelle Alt au magazine *Mixte* puis chez *Vogue* Paris. Je l'ai découverte dans les premiers temps où on avait le Studio 7L. On a fait beaucoup de shootings pour *Mixte* avec elle.

Elle a un sens de l'humour acéré, un phrasé qui lui permettait de jouer avec les mots, sans être vulgaire ou familière avec Karl, Hedi Slimane ou Steven Gan. Elle faisait aussi le stylisme sur les shootings Fendi pendant des soirées interminables ainsi que les campagnes Chanel. Pendant un moment, ils ont été fâchés mais tout est merveilleusement rentré dans l'ordre. Karl l'aimait bien.

Anna Wintour, c'est la grande rédactrice en chef du *Vogue* américain depuis toujours. Je l'ai croisée pendant vingt ans. Avec le temps, elle était plus amicale, tout en gardant ses distances. Elle se déplaçait même pour me dire bonjour et me regardait dans les yeux… elle qui ne dit bonjour à presque personne.

J'ai demandé à Karl pourquoi il ne shootait jamais pour le *Vogue* US. Il m'a répondu qu'il savait qu'Anna avait des choix très tranchés en matière de photographes et que, d'un commun accord, ils ont choisi de ne pas collaborer, pour ne pas se fâcher.

Elle m'a toujours bien placé au dîner du gala qu'elle organise au Metropolitan Museum de New York chaque année et qui réunit tous les gens de la mode et du show-biz. Lors de cette soirée, elle faisait en sorte que Karl passe devant tout le monde, car il ne voulait pas faire la queue. Elle lui arrangeait tout. Elle recevait à chaque gala en Chanel haute couture. Avec França Sozzani, Sandy Brant, Ingrid Sischy, elle faisait partie de celles qu'il aimait vraiment. Et si la rumeur confirme qu'elle a été avec Bob Marley, alors c'est ma reine…

Après le premier défilé Chanel sans Karl, en mars 2019, j'ai dîné avec elle et Amanda Harlech, au Ritz, comme elle en avait l'habitude avec lui. Je les laissais alors tous les deux, dînant seul à une table, pas très loin.

Je rencontre Ingrid et Sandy dans le contexte de la vie intime de Karl. Elles étaient ses invitées à Biarritz. Ingrid, c'était un char d'assaut, elle avait quelque chose de Karl dans son aisance à l'oral, son assurance, son humour et son esprit… et malgré son physique particulier, elle dégageait un charme fou. Avec elles, on a souvent vu et parlé d'Elton John, leur grand ami. À l'opposé, Sandy, était douce, une silhouette de jeune fille, cinq enfants, une voix qui murmure. Elles viendront à Ramatuelle. Ingrid a reconnu très vite la complicité qu'il y a eue entre Karl et moi, elle savait que ça n'avait rien à voir avec les autres *boys*. Dans n'importe quelle ville où on allait, elle connaissait les meilleurs spots, là où il fallait être vu, là où il fallait aller dîner… Elle avait un carnet d'adresses hallucinant. Tout le gratin du cinéma, de l'art contemporain, elle connaissait tout le monde… Je l'ai baptisée ma mama newyorkaise. En 2015, quand elle était à l'hôpital et que c'était ses dernières heures, on n'était pas loin de Paris, en train de faire un film avec Pharrell pour Chanel, dans les studios de Besson. Mon téléphone n'arrêtait pas de sonner, c'était Ingrid. Dès que je décroche, j'entends que sa voix n'est pas comme d'habitude. On sait déjà que c'est grave mais on ne sait pas exactement à quel stade elle en est. Elle me lâche, très factuelle, détachée mais chaleureuse : « *Sebi, I'm going to talk to you. Are you alone ? Please sit down. I'm at the hospital, I'm going to die soon. Tomorrow, it will be over. I want to tell you I liked you so much… I would love to speak to Karl now.* » Je suis en larmes. Je vais chercher

Karl en lui disant qu'il faut la rappeler. Il est occupé, je lui dis : « Ingrid veut vous parler. » Il me répond : « Attends, je n'ai pas le temps… » Je lui redis : « Karl, il faut lui parler. » Au ton de ma voix, il a compris, a rendu la caméra et m'a suivi dans le mobil-home. Je l'ai laissé seul pour qu'Ingrid lui dise adieu. Je savais bien la fuite de Karl devant la mort, la maladie et la faiblesse. Quand il a terminé son coup de fil, il pleurait, était choqué. Il a continué à filmer sans rien dire à personne.

Ingrid était un génie dans son genre, à l'égal de Karl.

Vers 1995… lorsque Karl avait encore son appartement à Rome, Vicolo del Divino Amore, à deux pas du Palazzo Ruspoli, je rencontre Silvia Fendi, Éric Wright, Vincent Darré… Je suis le plus jeune de l'équipe de CST qui est sur place pour déménager des meubles. Karl connaît Silvia depuis qu'elle est petite. Elle servait de modèle dans les années 1970 dans une photo pour Fendi. Début 1999, lorsque je travaille pour Karl à temps plein, je la vois plus souvent. Je fais des Paris-Rome en voiture pour apporter dans des glacières les repas de Karl qui est au régime. Silvia est toujours restée auprès de lui, même après le rachat de la marque familiale par LVMH. Lorsqu'elle a besoin de lui parler, elle passe souvent par moi. Les nuits d'accessoirisations interminables qui précèdent le défilé Fendi, je les passe au côté de Silvia et de Karl, à Rome ou à Milan. Les stylistes se succèdent mais Silvia est toujours là, profondément attachée à Karl. Elle a un charme fou. Il disait d'elle qu'elle avait été coquine dans sa jeunesse. Silvia c'est ma famille italienne, je connais bien ses enfants et ses petits-enfants. En 1969, c'est Karl qui a créé le logo FF pour Fendi Furs.

Quand il est parti, Silvia a été la première à me faire venir à Milan et à me garder comme conseiller technique pour les lignes sport de Fendi.

Maria Elena Cima, surnommée Cimarosa, (directrice de la communication) par Karl, et Mme Torre (directrice de la mode homme) font également partie de cette grande famille italienne. À partir de 2002, elle organisera avec Karl toutes les campagnes Fendi.

Les trois présidents qui se sont succédé, Michael Burke – qui a relancé Fendi après le rachat par LVMH –, Pietro Beccari – qui fait partie des gens chez qui Karl allait dîner de temps en temps et qui ont redonné à Fendi son lustre italien – et Serge Brunschwig qui a succédé à Pietro, sont tous des présidents formidables.

Aujourd'hui, je travaille toujours avec Silvia. On fait des séances de travail par Zoom et on s'écrit beaucoup de messages. Je sais que si j'ai des problèmes, elle sera là.

Elle est la dernière personne avec qui Karl a parlé, la veille de sa disparition.

Caroline Lebar a passé trente ans avec Karl, du côté de la marque Lagerfeld. Je l'ai connue très tôt car je transportais des trucs pour Lagerfeld Gallery, nom de sa marque à l'époque. Elle avait une proximité assez paradoxale avec lui : un mélange de distance et de familiarité. Elle a traversé tous les hauts et les bas de la marque Lagerfeld. Elle et Sophie de Langlade étaient deux personnes clés dans le dispositif. Elles ont toujours été bienveillantes à mon égard. Caro sait exactement de quoi je suis fait. Mon côté sanguin, elle le connaît. Elle est devenue une sorte de sœur. Ce sont des gens que j'ai côtoyés tous les jours pendant vingt ans. Aujourd'hui Caroline Lebar et ses équipes s'occupent également de ma communication. Après la disparition de Karl, Caro m'a tout de suite témoigné sa solidarité et un soutien presque familial. Le président de la société, Pier Paolo Righi, a été également un de ceux qui m'ont témoigné leur confiance et ont exprimé la volonté que je garde un rôle actif dans l'équipe créative de la marque. Karl l'aimait beaucoup, il le trouvait plein de bonne humeur et voyait en lui un bon chef d'entreprise. Je suis ambassadeur et consultant pour la marque, j'ai créé deux collections pour eux. Caro, c'est une femme mais c'est aussi mon meilleur pote, elle a un côté garçon manqué tout en étant ultra-maternante. On a partagé des pleurs et des rires ensemble.

Rue de Lille et Ramatuelle, juin 2020

Je continue à aller au 7L, de temps en temps. Hier soir, je suis rentré, j'ai garé mon scooter au milieu du studio photo qui est vide et froid. Avant, Karl y faisait des photos toute la nuit. Je revois Vincent Puente qui tient la librairie. Il y est seul désormais. Au 15, rue des Saints-Pères, il y a mon bureau où je ne vais plus jamais. Karl y avait installé une table de conseil qui provenait de la banque. J'y ai passé tellement de temps, j'y ai même habité en 2012 en attendant que les travaux de la rue de Verneuil soient terminés. Ça a été une garçonnière fantastique. On y a fait des shootings photos car c'est aussi une des annexes de la bibliothèque de Karl.

La maison de la rue des Saints-Pères est vide, il n'y a plus personne dedans.

Quai Voltaire est déserté aussi. Tous ces lieux qui ont été les miens, une sorte de chez-moi où Karl me laissait accéder sans problème, sont désormais sans âme. Combien de fois ai-je levé la tête vers les trois fenêtres du quai Voltaire, vers son appartement. Désormais, les fenêtres sont noires. J'évite de passer par là.

Karl me disait toujours combien il aimait Ramatuelle. Je suis à 500 mètres de la maison qu'il a louée pendant plus de quinze ans. Il n'y a qu'une route pour y aller, je l'ai prise mille fois de 2005 à 2019. Je suis heureux avec ma maison à Ramatuelle, c'est simple mais c'est mon havre.

Mon oncle Jean-Claude

C'est le frère de ma mère. Il travaillait à la CST au début en tant qu'artisan-louageur. Il faisait les livraisons. L'équipe qui intervenait chez Karl était dirigée par lui. En 2005, pendant un déjeuner à Ramatuelle, Karl me dit qu'il faudrait quelqu'un pour m'aider. J'ai immédiatement pensé à mon oncle. Karl m'a dit : « Je ne comprends pas pourquoi je n'y ai pas pensé avant. C'est moi qui aurais dû avoir cette idée. » Jean-Claude est quelqu'un de sérieux. Il a près de vingt ans de plus que moi. Il me prenait souvent chez lui quand j'étais enfant. Mais comme je ne faisais que des conneries, parfois c'était compliqué pour lui. Avec sa femme Marie, ils sont proches de mes parents. Je vois souvent Élisa et Sabrina, ses deux filles. Jean-Claude a une sorte de douceur qu'il n'y a pas autour de moi. Il est très attachant.

Jean-Claude va travailler longtemps pour Karl au sein de la CST. Ensemble, on a sillonné toute l'Europe dans la cabine du camion, en compagnie d'un chauffeur poids lourd. Il n'a pas de loisirs, passe son temps à travailler, n'aime pas les congés. Il dit toujours que ce qu'il préfère dans les vacances, c'est la route pour y aller et celle pour revenir. Avec Khemis, on partage plus de choses, des loisirs, des vacances…

Dès 1991, il rencontre Karl. Jean-Claude va devenir une sorte d'intendant, il va s'occuper du courrier, des maisons, conduire Karl lorsque je ne suis pas là ou que nous avons besoin d'un chauffeur. Jean-Claude est une des personnes les plus proches de moi jusqu'à ses derniers moments pour m'aider dans la logistique. Il sera là lui aussi lors de la crémation.

X.

C'est un truc que tu ne cherches pas et qui te tombe dessus, c'est X. Elle est jolie, atypique, chef de bande. Elle a du caractère et une autorité naturelle qui me plaît et en même temps elle est douce. Je la rencontre quelques mois après la mort de Karl. Elle s'intéresse donc à moi sans l'ombre de Lagerfeld autour de moi. Même si ce facteur a pu être opérant dans d'autres relations, ici ce n'est plus du tout la question. Avec X., tout part sur une base plus saine. Elle n'est ni une jeunette ni une enfant gâtée, elle est pragmatique, dans le concret, dans le réel. Parfois, elle est très sensible mais c'est un bonhomme à l'intérieur. Par certains côtés, elle me rappelle ma mère. Je pense que Muguette aurait vraiment apprécié X. Ma mère était une vraie fêtarde et en même temps une travailleuse forcenée qui savait gérer des hommes. Le partage, la résilience, les copains qui forment une bande, une éthique, l'amour du sport, les activités nautiques, s'en sortir seul… tout cela ressemble à mes valeurs. Et comme souvent, je trouve dans sa famille celle que je n'ai pas eue. X. et moi, on est aussi sanguins l'un que l'autre mais pour l'instant, c'est une bonne école. On se surveille mais je sens que si on s'embrouillait, elle pourrait me taper à coup de casserole comme l'a fait un jour ma mère avec mon beau-père.

Hedi Slimane

L'arrivée d'Hedi chez Dior Homme en 2000 est une révolution dans la mode. Presque la même année, Karl suit son régime drastique. C'est aussi le moment où je découvre la mode, à travers lui. Avec sa nouvelle minceur, il ne va plus être habillé que par Hedi. Que Hedi signe des photos, qu'il publie ses livres, qu'il fasse des meubles... Karl est passionné par tout ce qu'il touche. J'ai retrouvé des Polaroid de lui et Steven Gan. Avec Hedi, je découvre un personnage très particulier. Après le départ de Karl, il s'est montré sous un jour très chaleureux. Il prend de mes nouvelles. Il montre du respect pour celui que j'ai été et celui que je ne suis plus. Karl se fâchera avec Hedi pour une raison que je n'identifie pas bien, mais je sais qu'il en était très triste... Quand Hedi devient le directeur artistique d'Yves Saint Laurent, Karl est enchanté pour lui. Dans les dernières années, Hedi va venir dîner avec lui chez Sénéquier. Il s'est mis à adorer la région. À la disparition de Karl, il m'a envoyé un message. La dernière fois, il m'a proposé de les rejoindre sur un bateau… J'étais touché. Il y a beaucoup de choses en lui qui me font penser à Karl.

Ça va, cher Karl ?

Je me demande si ce que je fais là, raconter ma vie, mes années avec et sans vous, vous plairait. Je n'en suis pas certain. Votre éthique, c'était plutôt : « Vis dignement, travaille, ne dis rien. » Raconter ma vie ici, avant vous, avec vous, après vous, c'est aussi dire le deuil, l'admiration, l'ascension vers le haut. Récemment, mon pote Brice a écrit sur mon compte Instagram en parlant de moi : « Le fabuleux destin d'un enfant de cité qui murmurait à l'oreille de Keyser Söze. Karl pouvait décider pour expérimenter, de faire une sieste sur un banc en plein cœur d'un quartier malfamé, il savait qu'il y en avait un pour lui garantir un paisible sommeil… » C'était ça ma place auprès de vous. Un gardien de votre tranquillité d'esprit. En même temps, je sais combien vous aimiez que je vous raconte tout ce que je faisais dans la journée, les heures de foil sur la mer, comment j'avais dormi, comment se comportait mon chat Minou, un gouttière qui a fini par manger à votre table à Ramatuelle, pendant que la précieuse Choupette était dans son immense cage aménagée en plein air pour qu'elle ne s'échappe pas. C'était des riens, des fragments de quotidien qui nous liaient. Depuis votre disparition, j'ai réalisé combien de fausses amitiés se sont écroulées. Même si vous en saviez long sur la nature humaine, vous auriez sans doute été déçu. Parfois, j'ai été blasé alors que chaque minute à vos côtés était faite d'irréel. Je relis la première lettre reçue de vous, une sorte de lettre d'embauche, datée du 20 décembre 1998, après que j'ai osé vous demander si je pouvais travailler pour vous.

Cher Sébastien, voici un petit Noël pour vous, pour une folie imprévue et personnelle. Ce que vous m'avez demandé l'autre jour, peut se réaliser peut-être assez vite. M. Jouannet a envie de s'installer au Pays basque et travailler de là pour moi. J'aurais donc besoin d'un chauffeur à Paris (pas trop regardant sur les heures de bureau « classiques ») qui en plus peut faire des courses rapides à moto (à commander de ma part). Le déménagement pour la rue de Lille se fera au printemps. M. Friedlander que vous avez vu et qui s'occupe de toutes les questions matérielles peut vous voir. Vous pouvez le rencontrer au début de l'année à son bureau. En plus, comme vous faites de la boxe, c'est une protection pour moi. M. Friedlander y tient beaucoup.

P.-S. : M. Jouannet aime aussi beaucoup cette idée.

Joyeux Noël. Bien à vous.

Karl Lagerfeld

Dans les tout derniers temps, vous n'écriviez ni ne dessiniez plus. De tous les mots que vous m'avez laissés, je n'ai gardé que les plus importants. Dans cet appartement qui n'est pas à moi, s'affichent vos photos, vos dessins, les déliés si particuliers de votre écriture qui courent sur le papier qui jaunit. Sur ces murs, la photo de Mohamed Ali figure à l'égal de vos dessins. Vous étiez le Mohamed Ali de la mode. Vous êtes tombé K.-O. debout. Jusqu'au dernier moment, au téléphone avec l'équipe de Fendi à Milan…

D'autres fois, je vous ai vu dessiner une collection entière en trente minutes. J'aurais aimé vous faire vivre jusqu'à 100 ans, mais c'est moi qui serais mort avant. Ce que je regrette, c'est aussi de ne pas avoir pu vous parler de mon amour filial pour vous, de mon respect et allez, osons le mot, de ma tendresse. Vous m'avez dit vers la fin : « Après moi, tu ne travailleras pour personne d'autre, je n'en ai pas envie… » Et pourtant, vous êtes parti sans vraiment organiser l'avenir. Chaque discussion concernant l'après et le futur, le vôtre ou le mien, était impossible. Surtout les quatre dernières années, dès que le sujet arrivait, même de la façon la plus légère, vous me regardiez en disant : « Ça y est ? Je vais crever, c'est ça ? » Le sujet était interdit. Je n'ai jamais osé vous demander des précisions. Je savais que vous vouliez m'épargner. Vous saviez que j'étais, sous mes airs durs, un sensible. Dès le début de votre maladie, vous avez essayé de garder un secret de polichinelle. J'en ai souri parfois. Très vite, en plus de mon travail usuel, je suis entré dans la maladie, votre maladie. Après votre disparition, à part les rares proches qui savaient notre relation, je n'ai parlé à personne. Je regrette encore les quelques moments de laisser-aller avec certains. J'ai fait du chemin mais le monde m'apparaît toujours comme un réservoir d'hostilité. Malgré toutes ces années, je suis passé de la jungle de la cité à celle, plus feutrée, des rues chics de Paris, mais le combat reste le même. Vous étiez un tel génie que votre combat était gagné d'avance.

Je fais des rêves. Vous réapparaissez dans ma vie en disant : « Qu'est-ce que tu fais ? On est en retard. Il faut qu'on y aille… » Dans un autre rêve, je vous vois filer sur une trottinette électrique et je vous cours après, je cours, je cours pour vous rattraper. Vous me dites : « Dépêche-toi, il faut que tu restes à côté de moi. » Et moi, je tente de vous suivre en cavalant à perdre haleine. À un moment, vous sortez un lance-roquettes et balancez un missile dans l'appartement du quai Voltaire. Le rêve s'arrête là. Brutal et violent. Comme si l'issue de tout n'était encore une fois que la dureté des choses.

Notre quotidien était tellement mêlé que notre proximité était plus grande que votre vie privée. Jamais vous n'avez eu un geste, une ambiguïté, un sous-entendu et c'est peut-être pour cette raison que notre intimité était aussi soudée, sans zones d'ombre, sans double fond. Beaucoup se sont vantés d'être au plus proche de vous mais je sais, moi, que ce cinéma repose sur du vent. Je pourrais citer des noms mais à quoi bon, vous les connaissez aussi bien que moi. On m'a rapporté des mots gentils que vous disiez sur moi. Mon ami Boris, qui travaillait à la sécu de Chanel, un jour où j'étais exceptionnellement absent, vous a accompagné à la librairie Galignani, rue de Rivoli. Votre conversation tombe sur moi. Boris me l'a répétée mot pour mot. Il vous appelait Monsieur. « J'étais avec Monsieur à la librairie Galignani, il m'a pris par le bras et m'a dit : "Vous savez Boris, Seb vous aime beaucoup." J'ai répondu que moi aussi, je t'aimais beaucoup aussi, que tu étais mon meilleur ami. Monsieur a répondu : "Seb, je ne l'aime pas comme un ami, je l'aime comme mon fils." »

Je sais que vous disiez également ce genre de choses à Éric Pfrunder.

La dernière photo de nous, signée par vous, a été prise en 2018, au Studio 7L, en octobre, le dernier mois d'octobre de votre vie. Vous étiez physiquement mieux mais tout allait empirer assez vite. On est là pour shooter la campagne des vêtements que j'ai créés pour la marque Karl Lagerfeld, une « capsule » comme on dit dans le métier, parmi toutes les collections de la marque. Jusqu'au bout, vous gardez le sens de l'humour. Vous me chambrez là-dessus en m'appelant votre « collègue ». Pour une des photos, vous avez décidé de la scénographie, en vous plaçant dos à l'objectif, dans l'ombre. Je regarde cette photo et bien sûr, avec le recul, j'interprète là où il n'y avait peut-être pas de sens. Je ne peux pas m'empêcher de voir dans cette image que vous êtes sur le départ, un passant de l'époque qui s'enfonce dans l'ombre, mon maître qui me quitte. Retournement des choses. C'est moi qui ai toujours été dans votre ombre, dans le sillage de votre gloire, dans celui de votre présence envahissante, dans l'ombre portée de votre force.

J'aimerais tellement, demain, vous envoyer à nouveau mon message quotidien, qui disait chaque matin : « Ça va, cher Karl ? »

Composition et mise en pages
Nord Compo à Villeneuve-d'Ascq

Achevé d'imprimer en janvier 2021
par Normandie Roto Impression s.a.s., 61250 Lonrai
N° d'impression : 2005338
N°édition : L.01ELKN000803.N001
Dépôt légal : janvier 2021

Imprimé en France